Muito mais que
um aplicativo de compartilhamento de fotos

Ao longo dos quase 11 anos de existência, o Instagram passou por atualizações, ganhou funcionalidades e, mais do que isso, revolucionou a maneira de fazer negócio – o que se potencializou ao longo da pandemia mundial causada pela Covid-19.

Diante de um cenário econômico e social completamente novo e da impossibilidade de atuar profissionalmente de forma presencial, inúmeras pessoas e empresas se viram dependentes do universo on-line. Com isso, o Instagram se transformou em uma ferramenta essencial para fazer negócios.

Idealizado para quem está iniciando e também para quem já está consolidado no mundo do empreendedorismo, este guia promete esclarecer todas as dúvidas de quem almeja tirar proveito desta plataforma tão necessária nos dias de hoje. Nas páginas a seguir, você vai aprender passo a passo a criar um perfil profissional, a montar anúncios na plataforma, bem como entender sobre as métricas e o domínio dos recursos que o próprio Instagram disponibiliza para divulgar seus produtos e serviços.

Além disso, você vai entender como conquistar possíveis clientes e promover vendas. Com criatividade e empenho, as chances de sucesso são muito altas! Pronto para atrair seguidores, transformar curtidas em negócios e faturar múltiplos dígitos? Então, vire a página e descubra como ganhar destaque no mundo digital.

Índice

Instagram
5

Instagram

Arquivo Instagram

Entenda como o aplicativo que impacta diariamente a comunicação – e os negócios – surgiu e teve a grande virada que o levou aos números mais impressionantes da década!

POR CAROLINA SALOMÃO • IMAGENS: SHUTTERSTOCK

"Trazendo você para mais perto das pessoas e de todas as coisas que você ama". É assim que o perfil oficial do Instagram se descreve dentro da própria plataforma. De fato, nos quase 11 anos de existência, o "Insta" (como é popularmente chamado) não só aproximou os usuários no âmbito pessoal, mas também revolucionou a forma como fazemos negócio e nos comunicamos na esfera profissional. E o grande acelerador das mudanças mais recentes na forma de usar o aplicativo para compra e venda foi, surpreendentemente, a pandemia.

Se você ou a sua marca não estavam no app antes de 2020 – ou até estavam, mas deixavam o perfil um pouco de lado –, com certeza sentiram a urgência de se atualizarem quando se viram dependentes do digital. Com isso, novas questões surgiram, das mais básicas às mais técnicas: "Como fazer anúncios na plataforma?", "É melhor criar um perfil profissional ou manter apenas o pessoal?", "Como escrever uma bio que chame a atenção?" e "Que tipo de post apresenta o melhor engajamento?". Sem contar a importância de entender sobre as métricas, o domínio das ferramentas que o próprio Instagram disponibiliza para ajudar no alcance do seu conteúdo (hashtags, Reels, guias, IGTV, GIFs comemorativos...), além da constante procura por novos meios de venda, como os lançamentos do universo de quem fatura múltiplos dígitos em poucos dias.

Falando em anúncios, vamos explicar o passo a passo para criar uma conta no Instagram, começando pela origem da rede social. Afinal, para encontrar oportunidades no aplicativo, nada melhor do que iniciar pela história da plataforma que faturou 20 bilhões de dólares com anúncios em 2019.

Mais que um app de filtros legais

No dia 6 de outubro de 2010, dois amigos de faculdade lançaram para o iOS a primeira versão do que seria um dos aplicativos mais famosos do mundo, com 25 mil pessoas inscritas logo no primeiro dia! "Nós nunca planejamos revolucionar a fotografia. Para nós, a ideia de postar uma foto era simplesmente o melhor meio de transmitir uma mensagem", explicou Kevin Systrom, co-fundador do Instagram, em entrevista para a SXSW. O outro fundador é Mike Krieger, que, apesar de ter conhecido o sócio na Universidade de Stanford – uma das mais concorridas dos Estados Unidos –, nasceu no Brasil, em São Paulo. Antes disso, tanto Mike quanto Kevin contavam com poucos, mas prestigiados nomes no currículo: um dos estágios de Mike ocorreu na gigante Microsoft, enquanto Kevin carregava a experiência de ter trabalhado em outra gigante do ramo, o Google, bem como na Odeo, empresa que se tornaria o Twitter. Unindo a paixão pela fotografia – Kevin chegou a realizar um intercâmbio na Itália só para aprender sobre a oitava arte – e pela computação, os dois conseguiram investidores para transformar o aplicativo Burbn, criado por Kevin em 2009, em algo que desenvolveria as funções mais elogiadas pelos usuários: álbum de fotos, interação com os amigos e marcação de lugares. Já parece familiar? Pois assim nascia o Instagram – uma mistura das palavras "instantâneo" com "telegrama" -, que conquistou de vez o coração dos apaixonados por fotografia quando adicionou os primeiros filtros com toque vintage, em resposta à escassez de aplicativos para edições de imagem e à qualidade ainda bastante precária das câmeras dos smartphones da época. Quem se lembra de quando só podíamos escolher entre X-Pro II, Lomofi, Earlybird, Lily, Popyrocket, Inkwell, Apollo, Nashville, Gotham, 1977 e Lord Kelvin?

#FATOCURIOSO:

Você sabia que o primeiro filtro do Instagram foi o X-PRO II e a primeira foto foi postada pelo próprio Kevin Systrom, durante férias no México, em 2010?

FOTO: REPRODUÇÃO/ INSTAGRAM

A VENDA PARA O FACEBOOK

É aquele ditado: "ainda vamos rir dessa situação". Parece engraçado pensar no pânico que os apaixonados pelo "Insta" sentiram quando foi confirmado que Mark Zuckerberg, CEO do Facebook, iria comprar o aplicativo, mas a teoria de que o Instagram chegaria ao fim foi tão forte que o próprio Kevin Systrom precisou acalmar os ânimos dos 30 milhões de usuários na época, com um depoimento publicado na plataforma apenas dois anos depois do lançamento do app, em 9 de abril de 2012: "É importante deixar claro que o Instagram não irá desaparecer. Vamos trabalhar com o Facebook para desenvolver o Instagram e construir a rede. Continuaremos adicionando novos recursos ao produto e encontraremos novas maneiras para melhorar a experiência das fotos tiradas por celulares".

Foi assim que o agora ex-dono oficializou a compra do Instagram por um bilhão de dólares – quase 5,5 bilhões de reais nos dias de hoje. No entanto, em 2018 o aplicativo já valia 100 vezes esse valor! Como Mark Zuckerberg conseguiu tamanho lucro? A explicação está nas diversas (e rápidas) melhorias na plataforma, mas que não vieram sem antes provocar grandes polêmicas entre os próprios usuários, como o surgimento de um recurso bem parecido com o de outro app queridinho pelos instalovers: os stories.

A GRANDE VIRADA

Se você estava no Instagram ou no Snapchat em agosto de 2016, deve se lembrar de uma das maiores controvérsias criadas pelo CEO do primeiro. Se você não chegou a conhecer o "Snap", nós te explicamos: lançado em 2011, famoso por seus filtros divertidos e vídeos curtos que se apagavam em 24 horas – os chamados Snapchat Stories -, o aplicativo também permitia mandar mensagens e reunia 150 milhões de usuários ativos no mesmo ano, segundo a Bloomberg, agência de notícias especializada em mercado financeiro.

Para entender melhor o tamanho da rede, ela ultrapassava o número do Twitter, que continha cerca de 136 milhões de contas ativas na mesma época, de acordo com dados da própria empresa. No entanto, apesar da resistência inicial dos snapers e até da impressão negativa deixada por Zuckerberg entre a comunidade digital, não demorou muito para que os Instagram Stories trouxessem de vez para o app celebridades internacionais como Kylie Jenner, além das nacionais como Thaynara OG e Gabriela Pugliesi. Com os stories e, consequentemente, a possibilidade de criar filtros para vídeos e fotos, Zuckerberg ganhava a corrida contra Evan Spiegel, Bobby Murphy e Reggie Brown – os três fundadores do Snapchat. Apesar de o fantasminha ainda existir, é difícil competir com os seus 238 milhões de usuários alcançados no primeiro trimestre de 2020 contra os um bilhão de followers ativos por mês do Instagram.

FOTO: REPRODUÇÃO/ INSTAGRAM

#FATOCURIOSO:

Apesar de a foto mais antiga do Instagram ser de Kevin Systrom, a imagem mais curtida da plataforma é... A de um ovo! O perfil @world_record_egg, criado em janeiro de 2019, tinha como objetivo desbancar o primeiro lugar do pódio na época, ocupado por Kylie Jenner e o seu clique de 18 milhões de likes. Eis que o simples ovo alcançou mais de 55 milhões de corações até o momento, graças ao poder de se tornar viral na internet!

Instagram em números

4º APP mais baixado no mundo em 2020, com 503 milhões de downloads

1 MAIS DE BILHÃO de usuários ativos por mês

Faixa etária

70% dos usuários têm menos de 35 anos

25 a 34 anos é a média de idade da audiência mais popular no Instagram, seguida pelos usuários com idades na faixa de 18 a 24 anos

Tempo

das 18h às 20h é o período em que os posts ganham maior engajamento dentro da plataforma

53 minutos é o tempo médio gasto por dia pelos usuários na rede social

Gênero

50.8% da audiência no IG é feminina

49.2% da audiência no app é masculina

Negócios

Mais de 25 milhões de contas são comerciais

68% e 66% dos usuários já consumiram conteúdo em foto e vídeo, respectivamente, de marcas

80% dos *instagrammers* recorrem à plataforma para decidir se compram um produto ou serviço

Anúncios

113% é o crescimento do uso da hashtag "ad", de advertising (propaganda, em português), entre fevereiro de 2018 e fevereiro de 2019

18.16 bilhões de dólares é a projeção do faturamento com anúncios para 2021

99 MILHÕES
de usuários no Brasil, ficando em 3º no pódio global

307 MIL POSTS
foram publicados no Brasil, deixando o país em 2º lugar no ranking dos lugares mais ativos na rede, ficando atrás apenas dos Estados Unidos (571 mil posts)

Celebridades

Mais de 383 milhões
de seguidores marcam o número do perfil mais popular da rede: o próprio @instagram!

A atriz mais seguida do app é a brasileira Bruna Marquezine, com **39 milhões** de pessoas no perfil

Das 45 celebridades no TOP 50 das maiores contas da rede, **35%** são dos Estados Unidos e **24%** são do Brasil

252.2 milhões
de *followers* estão reunidos no segundo maior perfil do IG, o do jogador de futebol Cristiano Ronaldo (@cristiano)

Engajamento

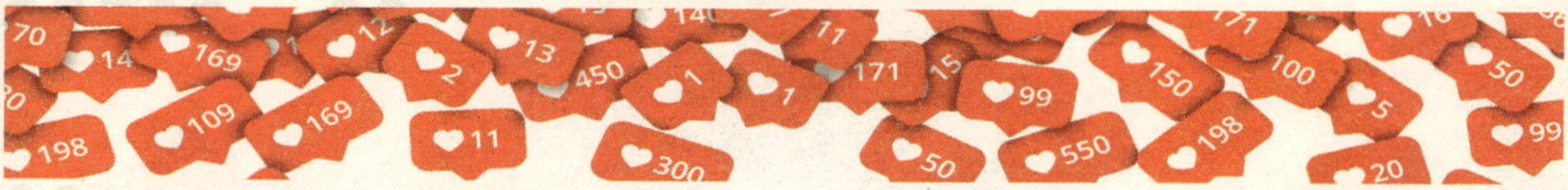

2 bilhões
de posts foram marcados com a hashtag mais utilizada do Instagram: #love

4 vezes
é o engajamento que o Instagram pode gerar a mais do que o Facebook

62 likes e 5 comentários
é a maior média de engajamento em 2021 para 50% dos usuários e pertence aos posts tipo "carrossel"

10.7
representam a média de hashtags usadas em um post

Faça parte dessa comunidade

Aprenda o passo a passo da criação de uma conta comercial no Instagram e conheça as ferramentas necessárias para entrar no campo de batalha muito à frente da concorrência!

POR CAROLINA SALOMÃO • IMAGENS: SHUTTERSTOCK

É verdade que cada rede social exige um tipo diferente de postura e de conteúdo, e descobrir qual estratégia adotar no Instagram colocará o seu perfil profissional no caminho certo desde o início. Afinal, o que os instagrammers procuram no aplicativo? "As pessoas buscam seres reais com os quais se identificam. Use o Insta para reforçar a sua autoridade e expertise. Em seu conteúdo, compartilhe sua jornada e lifestyle. Como aquilo que você faz pode transformar vidas?", escreveu a jornalista e criadora de conteúdo Aline Marchiori (@alinemarchiori), ao definir a rede em uma de suas publicações.

É na plataforma que Aline mostra a sua própria jornada e compartilha os conhecimentos sobre marketing digital com os seus mais de 15 mil seguidores. Para isso, um dos primeiros passos foi mudar a página pessoal para o modo profissional. Afinal, é com esse tipo de conta que você tem acesso às ferramentas pensadas exclusivamente para quem quer ganhar dinheiro na rede – e escalar para um negócio de verdade. Entre os recursos principais estão o botão de contato para aumentar os canais de comunicação do seu perfil, a possibilidade de promover as suas melhores postagens e alcançar mais pessoas, além dos insights (métricas em tempo real) sobre o desempenho dos seus posts, anúncios, seguidores e stories.

Quer saber como fazer parte do Instagram Empresarial e entender como 84% das pessoas descobrem novos produtos pela ferramenta – sendo que duas em cada três visitas a perfis comerciais são de usuários que ainda não os seguiam, segundo a própria plataforma? Comece já!

Passo a passo

Aprenda todos os passos para a criação de uma conta comercial e tenha acesso aos recursos que só ela pode oferecer.

1 Acesse a loja de apps do seu smartphone (Apple Store para iOS, ou Google Play Store para Android) e faça o download gratuito do Instagram.

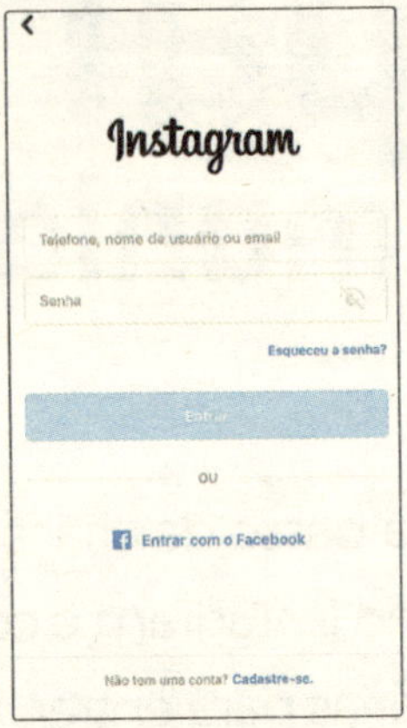

2 Após o downloadconcluído, é só clicar no ícone do Instagram. Há duas maneiras de se cadastrar na plataforma: usando uma conta já existente do Facebook ou preenchendo todos os dados.

3 Para a primeira opção, basta selecionar "Entrar com o Facebook", e você entrará no Instagram automaticamente. Se a sua conta do Facebook não estiver conectada, a página do login irá aparecer para você. Preencha com os seus dados, selecione "Entrar" e pule para o passo 7.

FOTOS: REPRODUÇÃO/ INSTAGRAM

4 Se você não tiver uma conta no Facebook ou não desejar vinculá-la ao perfil do Instagram, clique em "Cadastre-se" para criar uma conta exclusiva para o seu negócio.

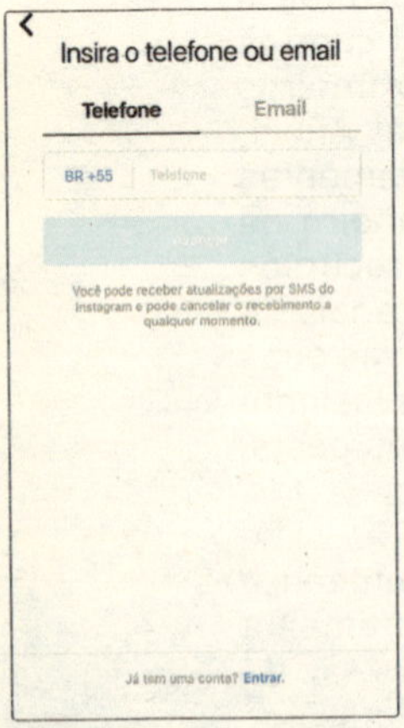

5 Selecione o botão "Criar nova conta".

6 Aqui, é possível escolher entre o número de telefone ou o e-mail profissional que deseja utilizar no cadastro. Em seguida, clique em "Avançar" e coloque o código de confirmação que chegará pelo contato selecionado.

7 Adicione o nome do negócio (se você for criador de conteúdo, use o seu nome ou o nome do seu blog/canal), preencha a sua data de nascimento, crie a senha e o nome de usuário e, por fim, escolha a foto de perfil. Esta será a tela principal.

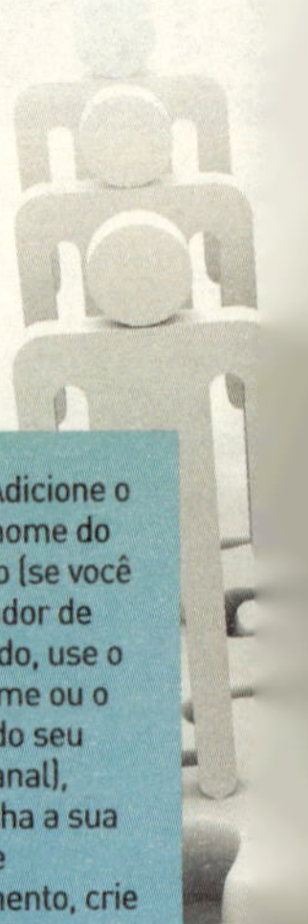

POR DENTRO DO PERFIL:

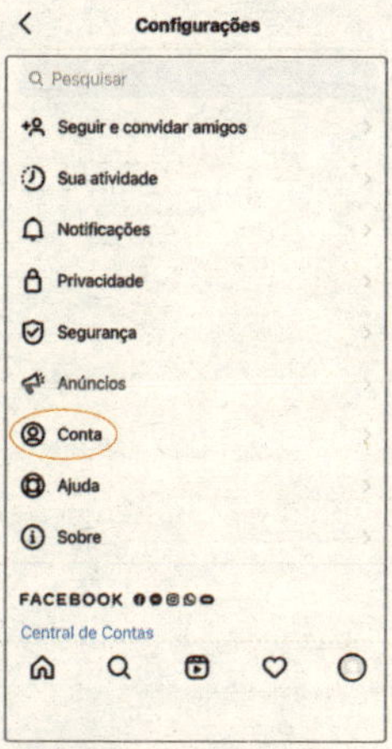

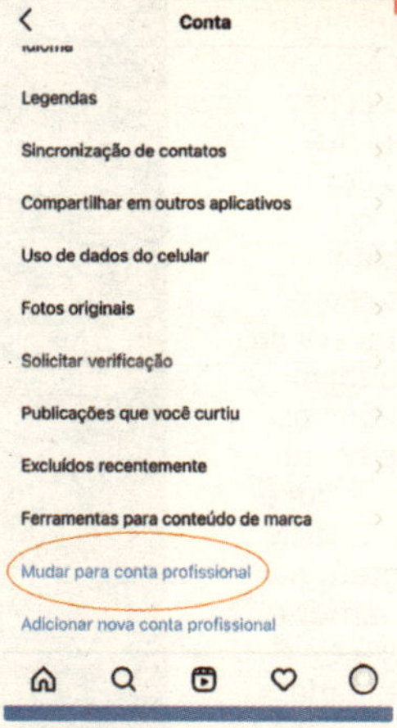

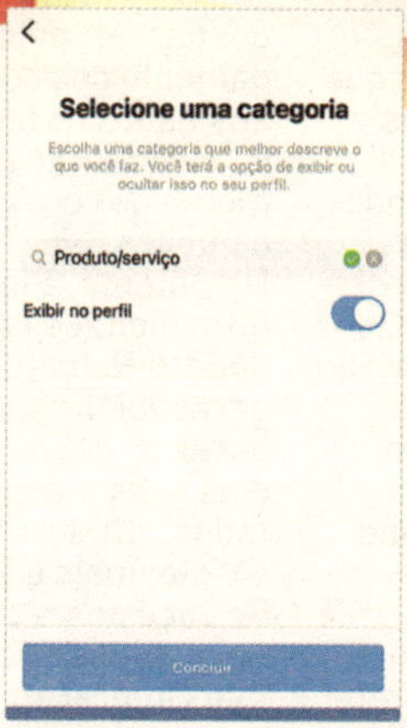

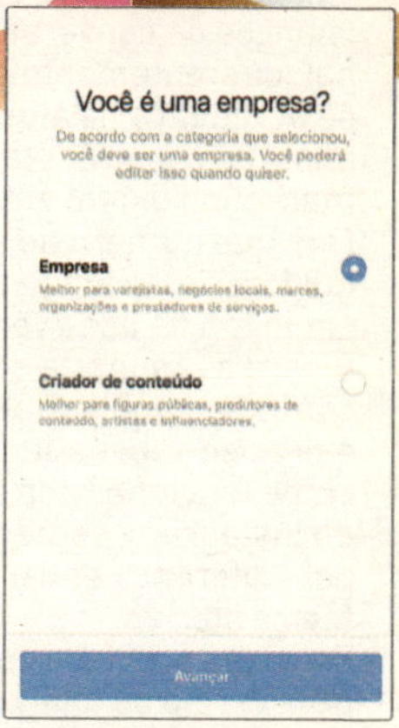

8 Com os dados principais escolhidos, é hora de trocar o modo pessoal para o comercial. Para isso, clique em "Ir para Configurações" e selecione "Conta".

9 Role a tela para baixo até chegar em "Mudar para conta profissional".

10 Escolha a categoria que melhor define o seu trabalho (usamos como exemplo "Produto/serviço"). Aqui, você terá a opção de exibir ou ocultar essa informação no perfil. Clique em "Concluir".

11 Nesta etapa, a conta profissional se divide em duas opções importantes: "Empresa" e "Criador de conteúdo". Se você escolher o segundo, que engloba figuras públicas, artistas e influenciadores, pule para o passo 14.

12 Já para empresas, irá aparecer a opção de se conectar ou criar uma página no Facebook – assim, será possível ligar um catálogo de produtos ao Instagram.

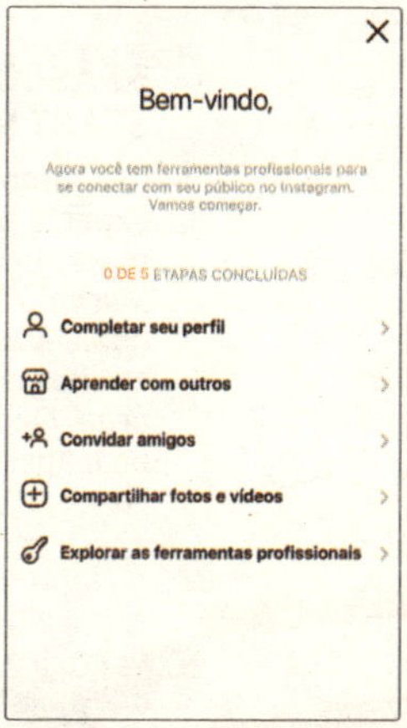

13 Com a conta comercial criada, você poderá personalizá-la da maneira que desejar, usando todas as ferramentas – agora profissionais – próprias para o crescimento da sua empresa.

14 Por fim, preencha seu login e senha e clique em "Entrar" para acessar a página inicial do seu negócio.

Público-alvo e conteúdo

Um conceito está claro: quanto maiores o conteúdo de valor e engajamento do seu perfil, maiores são as chances de conversão! Afinal, diferentemente do que se acreditava há alguns anos, os especialistas do marketing digital entenderam que número de seguidores está longe de ser sinônimo de boas vendas.
E para aumentar a conexão com o seu público-alvo, é preciso saber a fundo como funciona cada área do Instagram, começando pela diferença entre feed e stories.
Se o feed funciona como uma vitrine de loja, os stories mostram tudo o que ela oferece. É para o feed que você reserva os pontos principais do seu conteúdo, mantendo uma frequência mínima de três posts por semana, segundo especialistas da área. Quanto aos stories, é aconselhável não deixar menos do que 20 vídeos ou textos curtos por dia, já que eles são responsáveis pelos bastidores, pelo aprofundamento dos conceitos ensinados no feed e, por consequência, pelo aumento da conexão com o público.
No entanto, a influenciadora digital e empreendedora Rafaella Tozelli (@geracaoinfluenciadora) garante: postar todos os dias gera maiores resultados. "Quanto mais você é visto, mais é lembrado. Se você posta conteúdo de qualidade diariamente, mais interação terá e, automaticamente, cada vez mais o Instagram irá entregar o seu conteúdo para mais pessoas", explica Rafaella. Mas será que existe o melhor horário e o melhor dia da semana para postar na plataforma?

OS MELHORES DIAS E HORÁRIOS DO INSTAGRAM

De acordo com as parceiras HubSpote Mention, "não há uma resposta simples, universal para isso". No entanto, segundo os dados globais captados em 2021 por elas:

- Há uma forte tendência de o engajamento aumentar entre 12h e 13h, além do comecinho da noite, entre 18h e 20h – alcançando o pico às 19h.
- Já sobre os dias, o estudo se divide entre o fim de semana (em que há uma pequena, mas significativa diferença entre sábado e domingo, sendo mais fácil de as pessoas verem e interagirem com o seu post no domingo) e dias da semana (sendo a segunda-feira o melhor momento para engajar a sua audiência, seguida pela sexta-feira).

DICA
Esse recurso também pode ser utilizado em concursos ou para curadoria de conteúdo produzido por seguidores.

5 PASSOS PARA DAR O START NO SEU CONTEÚDO

Perguntamos para as experts em conteúdo e marketing digital, Aline Marchiori e RafaellaTozelli, quais os tópicos mais discutidos entre iniciantes da área. Não perca mais tempo e aprenda já o que cada conceito significa!

1. Entenda seu nicho e público-alvo
Primeiro, é preciso entender o nicho. Para isso, você pode usar o método PHD. O P, de paixão, tem relação com o que você mais gosta e sente prazer em falar. O H, de habilidade, trata-se de algo em que você seja muito bom ou que esteja estudando para se aprimorar. Já o D é de demanda: ou seja, o quanto o mercado realmente precisa do seu serviço para suprir alguma necessidade.
Após definir seu nicho, é possível conhecer seu público-alvo: as pessoas que deseja conquistar para proporcionar uma solução e para ensiná-las a conseguir os melhores resultados dentro daquele nicho que você escolheu.

2. Defina a sua linha editorial
Antes de se preocupar com a taxa de conversão dos seus posts, é necessário saber guiar o seu conteúdo. E quando você tem uma linha editorial estabelecida e sabe o que postar, nunca fica sem ideias. O primeiro passo é definir sua missão

e seus valores, assim, a partir disso, você começa a criar seu conteúdo. "A minha missão e os meus valores são focados em empoderar mulheres, para que elas consigam criar bons conteúdos por meio da internet, desenvolver os seus negócios e ganhar dinheiro com esse trabalho", revela Aline Marchiori.

3. Siga um cronograma editorial

Após definir as mensagens que quer passar no seu perfil, é hora de criar um cronograma de postagens – para o feed e para os stories, sem se esquecer de aproveitar os recursos do IGTV e do Reels.
O cronograma editorial irá ajudar a criar constância nas publicações. Sabe quando um canal de TV entrega a grade de programação do mês com quadros fixos e especiais? Com o seu perfil não será tão diferente, e a audiência vai desenvolver o hábito de acompanhar o seu cronograma enquanto assiste a sua rotina. Você pode pensar em quadros fixos e estipular cada dia da semana para falar sobre determinado assunto.
Fique de olho em datas comemorativas relevantes como uma maneira de engajar o público e até firmar parcerias com outras marcas. Confira o box sobre marketing sazonal e a nossa planilha-bônus (pág. 18) para entender mais sobre calendário de conteúdo.

4. Crie uma identidade visual

No início é importante você ter as cores da sua marca bem-definidas. Pense quais serão as suas cores fixas e escolha uma fonte que guie o seu conteúdo. Assim, você cria uma unidade visual, deixando a sua página mais bonita e profissional. Com o passar do tempo, você pode criar o logotipo e concretizar outras ideias, aperfeiçoando ainda mais a sua marca.

5. Ofereça conteúdo de valor

O segredo do conteúdo infalível é entregar ouro para a sua audiência. Ofereça o seu melhor conteúdo e as pessoas vão querer consumir cada vez mais de você. Entregue mais do que deseja receber e veja as coisas acontecerem. Geralmente, os especialistas dividem as postagens entre:
conteúdo de autoridade: posts mais informativos e técnicos da sua área de atuação, que ajudam a firmar a sua autoridade dentro do nicho;
conteúdo de engajamento: auxilia na quebra dos conteúdos mais densos e permite que você construa uma conexão maior com seu público-alvo. Por exemplo: histórias sobre a sua jornada, bastidores, memes, jogos e vídeos mais descontraídos no Reels.

TIPOS DE CONTEÚDO

Conteúdo de autoridade e conteúdo de engajamento ainda se subdividem em outros tipos de conteúdo, de acordo com a interação que você deseja despertar na sua audiência.
Quer saber como aumentar o alcance e o engajamento das suas publicações? Conheça as técnicas mais usadas para causar diferentes reações no público do Instagram!

- **Conteúdo de salvamento:** Os posts com maior taxa de engajamento e alto nível de salvamento são os carrosséis que trazem dicas ou passos de como fazer algo. Quando isso acontece, as suas publicações são entregues para mais pessoas. Esse formato também tende a apresentar maior alcance do que posts normais, já que eles são ótimos para se aprofundar em um conceito e tratar de temas mais densos. Outra dica é apostar em listas informativas e tutoriais.

- **Conteúdo de compartilhamento:** Os posts carrosséis e informativos também incentivam o público a compartilhar o seu conteúdo com amigos ou até no próprio perfil, trazendo novos seguidores. Outro exemplo é reunir frases motivacionais e importantes de quem você admira, inspirando a sua audiência.

- **Conteúdo para aumentar os comentários:** Publicações que terminam com alguma pergunta ou apresentam alternativas, como "você concorda?", "qual dessas opções você prefere?" ou "como está o seu humor hoje?", estimulam uma resposta do público. Jogos, como os posts com caça-palavras, também são uma ótima ideia para despertar a interação da audiência.

- **Conteúdo de identificação:** Outra dica é apostar nos conteúdos que trazem histórias pessoais e profissionais, sejam suas ou de outras referências do nicho, causando maior aproximação com o leitor. Você pode até usar memes para ficar mais divertido, como o post "Expectativa x Realidade", e perguntar para os seguidores se eles já viveram a situação da brincadeira.

MARKETING SAZONAL

Assim como ocorre em negócios físicos e e-commerces, o Instagram pode se beneficiar significativamente de estratégias voltadas às datas comemorativas. Mas os resultados das vendas e do engajamento dependem (de novo) da relevância que o feriado tem para a sua audiência – e de responder à pergunta certa.
Tente, ao máximo, mostrar para o seu público algo de que ele precisa ou que tenha pedido. "Vejo muitas pessoas falando sobre a importância do dia tal, mas será que os seguidores querem saber sobre isso ou querem saber qual presente dar ou com qual ação contribuir? Então, trate sim de datas comemorativas, mas saiba trazê-las para a sua empresa", explica Rafaella Tozelli. Outra ideia da influenciadora é aproveitar as datas para realizar uma ação voluntária e chamar pessoas que podem contribuir com ela.

PLANILHA-BÔNUS: UMA SEMANA DE CONTEÚDO PARA VOCÊ!

Aqui, você irá encontrar um plano de ação com uma semana cheia de ideias tanto para o feed quanto para os stories. Chega de desculpas e coloque as mãos na massa!

segunda-feira

Feed: Escolha uma frase motivacional para que a audiência comece a semana a todo vapor. Lembre-se: aspas são ótimas para gerar compartilhamento!
Stories: Comente sobre uma notícia ou um debate que esteja em alta dentro do seu nicho.

terça-feira

Feed: Pense em um assunto mais denso do seu nicho que mereça um post carrossel para o público se informar (e salvar).
Stories: Enquanto o feed estiver mais técnico, não deixe de mostrar curiosidades sobre você e seu dia a dia. Que tal mostrar momentos importantes da sua rotina ou indicar algo de que goste bastante? Vale filme, livro, série ou restaurante preferido.

quarta-feira

Feed: Uma ótima forma de quebrar o conteúdo técnico é usar o humor para atrair a atenção dos seguidores com mais facilidade. Você pode aproveitar um meme de alto engajamento na semana e contextualizá-lo para a sua área de atuação.
Stories: Revele alguma situação engraçada no trabalho e que tenha relação com o meme postado no feed.

quinta-feira

Feed: Pense em um post no formato "5 dicas para..." com o objetivo de causar transformação na vida dos seus seguidores.
Stories: Aproveite as ferramentas das enquetes que existem dentro dos stories para cada vez mais conhecer o desejo de quem te acompanha.

sexta-feira

Feed: Não é só nos stories que você pode fazer pesquisa com a audiência. Crie um post perguntando sobre a maior dificuldade dos seguidores em um ponto específico do seu nicho.
Stories: Comente sobre o post no feed e selecione as dúvidas que mais aparecem nos comentários. Use os stories para respondê-las de forma mais aprofundada.

sábado

Feed: Faça um checklist com plano de ação para levar a sua audiência do ponto A ao ponto B. Lembre-se: as pessoas adoram listas!
Stories: Que tal compartilhar um momento de grande transformação ou superação profissional para inspirar os seguidores?

domingo

Feed: Pense em uma marca ou uma pessoa que admira e faça um post sobre como ela te inspira profissional e pessoalmente.
Stories: Comente sobre a publicação do feed e faça um storytelling sobre a sua própria jornada.

DEU BRANCO?

Não se preocupe: criamos essa lista de ferramentas gratuitas para aqueles dias em que a criatividade não colaborar. Guarde para emergências de conteúdo!

Google Trends
Ferramenta criada pelo Google que traz gráficos com a frequência em que os termos mais buscados do momento aparecem por diferentes regiões do mundo e em diversos idiomas.

FOTO: SITE

Answerthepublic (em inglês)
Neste site, é possível analisar o que as pessoas procuram sobre um determinado termo. Basta buscar pela palavra-chave que deseja.

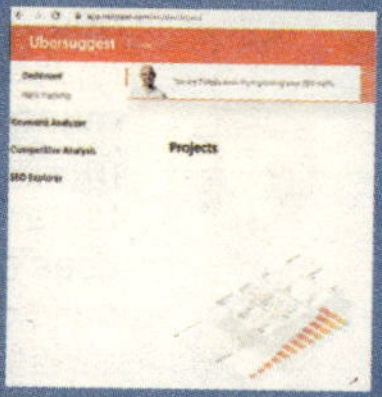

FOTO: SITE

Ubersuggest
Além de também ser possível analisar as palavras-chave mais usadas no seu nicho, esse site possibilita acompanhar o desempenho da sua página-web e a dos seus concorrentes.

Pinterest
O queridinho de qualquer influencer de respeito. A rede social também se baseia no compartilhamento de fotos, mas traz o formato de quadros de inspirações, em que é possível organizar inúmeras referências por temas.

Hashtags

Originalmente criadas como tags no Twitter para que os usuários encontrassem tópicos de discussão mais facilmente, as hashtags também ganharam popularidade em outras redes sociais, como o Instagram.
Elas continuam com o objetivo de reunir postagens de acordo com um termo específico, facilitando as buscas por interesses. Mas, no Insta, as hashtags entregam uma vantagem poderosa para quem quer vender no digital: a divulgação gratuita de sua marca. Afinal, ao clicar nelas, novos seguidores podem encontrar as postagens do seu perfil, seja no feed ou nos stories.

Para usá-las, é bem simples: basta escolher um tema ou uma palavra-chave que tenha a ver com o seu nicho, precedido pelo jogo da velha "#" e escrevê-la no espaço reservado às legendas, aos stories e até aos comentários. Por exemplo, se você é mãe e faz parte do nicho de empreendedorismo, pode usar a hashtag #maesempreendedoras na legenda dos seus posts. Também é possível usar a região, como, por exemplo, #doceriasaopaulo.

O PODER DAS BRANDED HASHTAGS

Entender a estratégia por trás das hashtags pede um pouco mais de estudo. Afinal, quantas delas eu posso usar por post? Como evitar o *shadowban*? Como elas podem favorecer o meu negócio? Aprenda agora!

Após a popularização das hashtags, não demorou muito para que as grandes marcas começassem a testá-las em suas publicações e as levassem para suas campanhas publicitárias, criando as branded hashtags (hashtags de marca, em tradução livre para o português). Esse movimento por si só já revelava a eficácia delas quando usadas estrategicamente, mas o fato de que até hoje perfis gigantes, como Adidas, Avon Brasil e Coca-Cola Brasil, apostam em suas próprias brandedhashtags confirma que a ferramenta continua válida na hora de reunir conteúdos de marca específicos. Inclusive, na biografia do Instagram de cada empresa citada, há a hashtag do momento: o slogan já conhecido da Adidas #ImpossibleIsNothing ("nada é impossível", em português); #AbertosProMelhor da Coca-Cola Brasil em referência ao desejo do mundo aberto pós-pandemia; e #OlharDeNovo da Avon, que traz a proposta de refletir sobre um tema pertinente da atualidade. Outro exemplo da mesma companhia é o uso de datas comemorativas, como a hashtag #GuerreiraÉEla para a campanha do Dia Das Mães. O maior resultado? A produção voluntária – e gratuita – de conteúdo de marca por seguidores reais em resposta às poderosas palavras-chave!

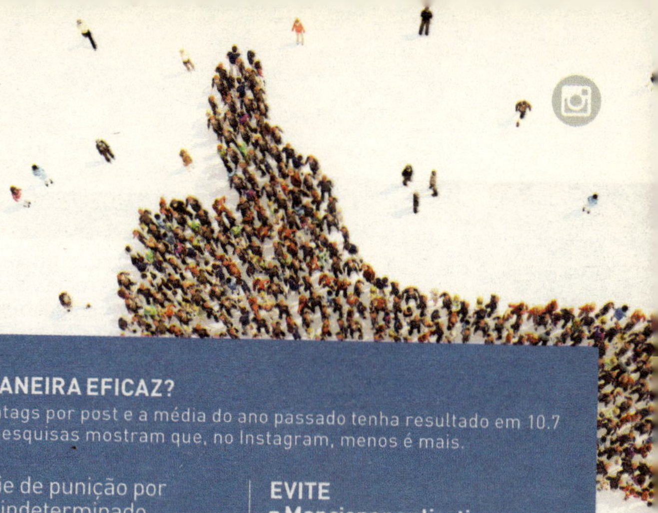

COMO USAR AS HASHTAGS DE MANEIRA EFICAZ?

Embora seja possível usar até 30 hashtags por post e a média do ano passado tenha resultado em 10.7 palavras-chave em cada publicação, pesquisas mostram que, no Instagram, menos é mais.

- De acordo com o relatório realizado em 2021 pela HubSpot e a Mention, em média, o número ideal de hashtags para conseguir o melhor engajamento é de uma hashtag. O alcance das postagens com uma hashtag foi significativamente maior do que o de posts sem hashtags. Porém, quanto maior o número de hashtags, menor era a média de engajamento.

- Outra dica superimportante é estar atento ao shadowban (espécie de punição por tempo indeterminado aos perfis que usarem palavras ou realizarem ações que desagradem a plataforma). Como o Instagram nunca confirmou a existência dessa prática – que vai desde o desaparecimento de funções até a queda da entrega de conteúdo –, a tarefa de evitá-la se tornou cada vez mais difícil. Portanto, mantenha o foco apenas em hashtags relevantes!

EVITE

- **Mencionar aplicativos concorrentes,** como o TikTok e o Telegram. Não é raro ver instagrammers se referindo às redes como "os apps vizinhos". Usar esses nomes como hashtags? Nem pensar!
- **Palavras que trazem ideias negativas.** Geralmente, elas caem no temido banimento, como, por exemplo, "assédio" e "pandemia". Até a hashtag #sextou, usada no Brasil para celebrar a chegada da sexta-feira, pode causar problema, pois se parece com outra hashtag inglesa de cunho sexual.

O RANKING DAS HASHTAGS

Conheça o TOP 10 mais popular do Instagram desde a sua criação:

	HASHTAGS	NÚMERO DE POSTAGENS
1	#LOVE	2 BILHÕES
2	#INSTAGOOD	+ 1 BILHÃO
3	#FASHION	908 MILHÕES
4	#PHOTOOFTHEDAY	879MILHÕES
5	#ART	746 MILHÕES
6	#BEAUTIFUL	714 MILHÕES
7	#PHOTOGRAPHY	693 MILHÕES
8	#PICOFTHEDAY	623 MILHÕES
9	#FOLLOW	617 MILHÕES
10	#HAPPY	615 MILHÕES

Story

Você sabia que um terço dos stories mais visualizados no Instagram são de empresas? E que 500 milhões de usuários usam a ferramenta todos os dias? Se esses dados não te convenceram sobre a importância do stories, saiba também que um a cada cinco deles recebe uma mensagem direta (DM) de quem visualiza!

Além dessa resposta imediata dos seguidores, a ferramenta oferece diversos recursos que auxiliam na visibilidade e no posicionamento das marcas: localização, GIFs, filtros e figurinhas ligadas às campanhas do Instagram. Tudo isso com fotos, ou vídeos curtos de 15 segundos cada, visíveis aos seus seguidores por 24 horas. Ou seja, após esse tempo, eles desaparecem da rede. Porém, o volume de stories pode chegar a cem por dia! Se esse limite for ultrapassado, o conteúdo mais antigo irá cair automaticamente para dar espaço aos novos, mesmo que não tenha completado um dia. Por isso, ele é um ótimo espaço dentro do IG para ser atualizado diariamente com os bastidores da sua rotina, tanto profissional quanto pessoal.

Para encontrá-lo, basta clicar no sinal azul de "+" próximo à foto do perfil ou o "+" que está no canto superior direito da tela e escolher "Story". Quer descobrir mais sobre essa função? Leia abaixo!

MARCANDO A LOCALIZAÇÃO

O ícone da "Localização" é uma ótima maneira de aumentar o alcance das suas publicações de forma totalmente orgânica, seja nos stories ou no feed, principalmente em relação aos negócios físicos. Afinal, basta o usuário buscar pela região do seu comércio ou pela localização exata dele (personalizada) para encontrar todo o conteúdo marcado com esse recurso.

Na prática: Se você tem, por exemplo, uma hamburgueria, que tal mostrar o lugar por dentro ou postar as melhores fotos do carro-chefe do seu menu, usando a figurinha para levar a clientela até você?

Passo a passo

FOTO: REPRODUÇÃO/ INSTAGRAM

1 Escolha uma foto ou vídeo nos seus stories e clique no quadrado do smile. Você também pode fazer um novo registro direto na ferramenta, clicando no botão central para fotos ou segurando-o para gravar um vídeo.

FOTO: REPRODUÇÃO/ INSTAGRAM

2 Escolha o ícone "Localização" e procure pelo lugar que deseja adicionar ao conteúdo.

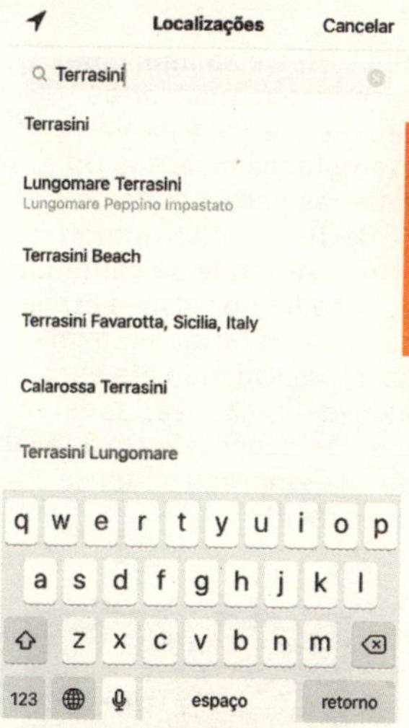

FOTO: REPRODUÇÃO/ INSTAGRAM

3 Se não encontrar, escreva o nome no buscador.

FOTO: REPRODUÇÃO/ INSTAGRAM

4 Nesta etapa, é só arrastar com o dedo para colocar a figurinha no espaço que desejar. Além disso, ao clicar nela, você pode mudá-la de cor para transparente, tons de rosa ou arco-íris.

FOTO: REPRODUÇÃO/ INSTAGRAM

5 Após postar, o clique na figurinha passa a mostrar a função de "Ver a localização". Aqui, você encontra informações sobre a região ou negócio, além das fotos mais relevantes e as mais recentes tiradas no lugar.

CURIOSIDADE:
Para criar uma localização personalizada no Instagram para o seu negócio, é necessário, primeiro, cadastrá-la no Facebook. Vá ao perfil do app e clique em "No que você está pensando" – é o mesmo espaço que usamos para fazer publicações na plataforma. Em seguida, escolha "Check-in". Escreva o nome que deseja na lupa de pesquisar, role a tela para baixo e escolha "Adicionar". Aqui, preencha todos os dados, salve o novo local e volte ao Instagram. **Atenção:** o cadastro pode demorar alguns dias para aparecer por lá!

INSERINDO GIFS, FIGURINHAS E OUTROS RECURSOS

Como o Instagram tende a dar mais relevância aos perfis que usam suas novas ferramentas, vale ficar de olho nas GIFs e nas figurinhas. As últimas, em especial, costumam carregar mensagens ou celebrar alguma festividade, mudando a cor do ícone dos stories para maior destaque e colocando-os em primeiro no menu. Por exemplo, para apoiar a quarentena e a vacinação contra a Covid-19, foram criados os adesivos "Em Casa" e "Vamos Nos Vacinar". Há também a figurinha "Apoie As Pequenas Empresas", com a qual os usuários compartilham seus negócios favoritos. Além de aparecerem três fotos em miniatura e o nome do empreendimento, é possível clicar no adesivo e ser levado ao perfil. É ou não é um meio poderoso de divulgação?

Na prática: Criar uma marca forte também é sobre compartilhar os valores dela. Além de as GIFs e as figurinhas permitirem mostrar as causas que você apoia – por exemplo, há diversas GIFs voltadas para a questão LGBTQIA+ –, elas aumentam o destaque do conteúdo publicado. Por isso, a etapa da linha editorial é tão importante. Quando ela está bem-definida, usar as ferramentas do Instagram a favor da sua empresa se torna mais fácil!

Passo a passo

FOTO: REPRODUÇÃO/ INSTAGRAM

1 Escolha uma foto ou vídeo nos seus stories e clique no quadrado do smile. Você também pode fazer um novo registro direto na ferramenta, clicando no botão central para fotos ou segurando-o para gravar um vídeo.

FOTO: REPRODUÇÃO/ INSTAGRAM

2 Vá na lupa de busca das "GIFS".

FOTO: REPRODUÇÃO/ INSTAGRAM

3 Procure pelo termo desejado. Aqui, usamos "mulher" por se tratar de uma loja de calçados femininos. Clique na GIF escolhida para voltar à tela inicial.

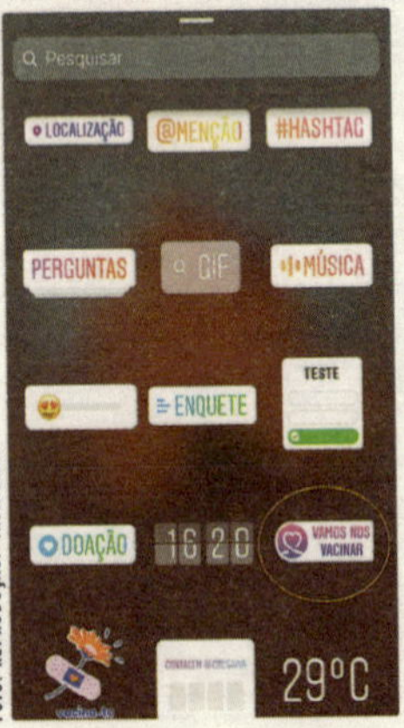

FOTO: REPRODUÇÃO/ INSTAGRAM

4 Também é possível escolher uma das figurinhas do momento, como a da campanha de vacinação contra a Covid-19, "Vamos nos Vacinar". Basta clicar nela para voltar à tela dos stories.

FOTO: REPRODUÇÃO/ INSTAGRAM

5 De volta à tela dos stories, posicione a figurinha e a GIF (no exemplo, usamos a de "SuperWoman"), movimentando-a com os dedos.

USANDO FILTROS

Não importa se é vídeo ou foto, câmera frontal ou câmera traseira. Os filtros funcionam em ambos e entregam efeitos com a tecnologia de realidade aumentada, que têm como objetivo modificar as imagens registradas pelos usuários. Além dos 12 filtros de cor tradicionais do Instagram, há os que trazem brilhos, desenhos, frases, maquiagens, modificações do próprio rosto, efeitos 3D e muito mais!

Na prática: Melhor do que usar os filtros disponíveis é ter um personalizado para o seu negócio! Se você for maquiador(a) ou vender produtos de maquiagem, por exemplo, é possível conversar com um designer sobre a criação de um filtro com a maquiagem que imaginar ou que tenha relação com o seu produto. Outra ideia é apostar em frases, como o próprio slogan da sua marca, hashtags das suas campanhas, e citações inspiradoras ou divertidas, para incrementar as suas postagens!

Passo a passo

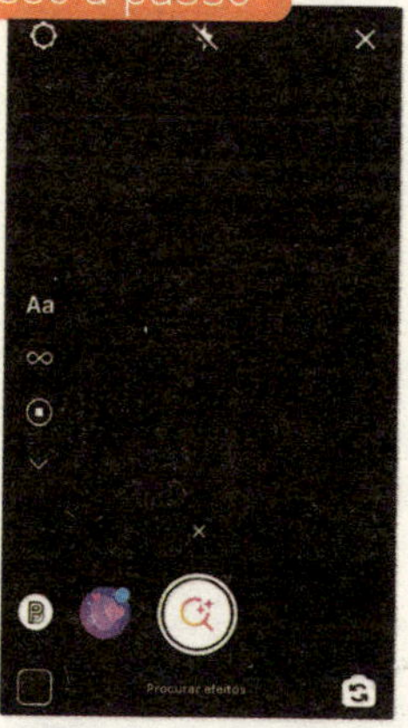

FOTO: REPRODUÇÃO/ INSTAGRAM

1 Para encontrar filtros, entre nos stories e arraste o dedo para a esquerda no centro inferior da tela, até "Procurar efeitos".

FOTO: REPRODUÇÃO/ INSTAGRAM

2 Você também encontra efeitos para fotos e vídeos arquivados, clicando nas três estrelinhas que aparecem no centro superior da tela.

FOTO: REPRODUÇÃO/ INSTAGRAM

3 Em "Galeria de efeitos", você pode procurar filtros por categorias, como Instagram, Selfies, Amor, Cor e luz, Estilos de câmera etc. Para buscar por um termo específico, clique na lupa do canto superior direito.

FOTO: REPRODUÇÃO/ INSTAGRAM

4 Escreva o termo que desejar na barra de busca. Aqui, usamos "maquiagem" e vários filtros relacionados ao tema apareceram!

FOTO: REPRODUÇÃO/ INSTAGRAM

5 Outra forma de encontrar filtros é acessando diretamente o perfil de uma pessoa ou empresa e clicando no ícone das três estrelinhas – logo acima do feed. Ali, você terá acesso a todos os efeitos criados por ela.

IGTV

"O IGTV é um vídeo extenso e envolvente. Não se limita á um minuto e ocupa toda a tela". É assim que o próprio website do Instagram define um dos seus recursos mais utilizados atualmente. Sendo possível criar vídeos verticais de 1 a 60 minutos, o IGTV também pode receber likes, ser compartilhado pelo direct (mensagens do perfil) e comentado. O símbolo que representa a ferramenta lembra o de uma pequena TV e fica logo acima do feed. De olho nos 78% de todo o tráfego mobile que seriam gerados apenas com vídeos até 2021 (dados da mesma página), a plataforma lançou o recurso em junho de 2018, firmando-se na corrida contra outros aplicativos de vídeos longos, como o YouTube.

No entanto, sempre com foco em negócios digitais, o Instagram tinha como objetivo maior o de entregar mais um canal para as marcas contarem as suas histórias e se conectarem cada vez mais com um número maior de pessoas. Funcionou! Inclusive, o Insta investiu em um aplicativo próprio para os canais do IGTV, já que o conteúdo pode – e deve – ser mais denso por lá. Assim, existe a possibilidade de usá-lo por esse app, pelo Instagram ou no desktop do computador. Ainda não criou o seu canal? A hora é agora!

Passo a passo do IGTV pelo Instagram

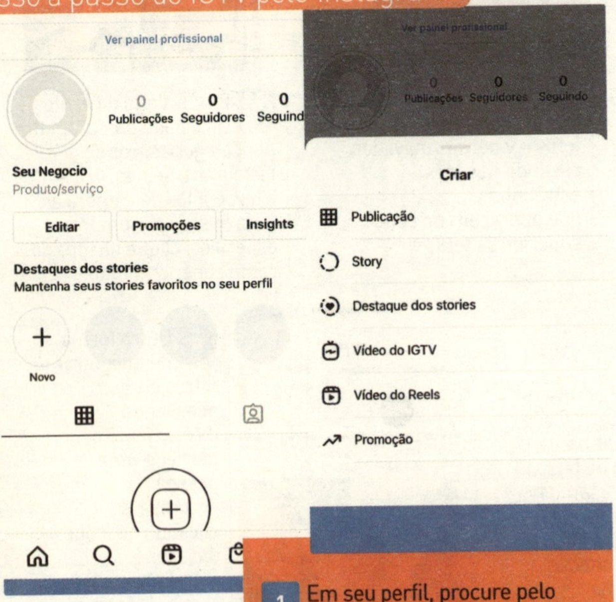

FOTOS: REPRODUÇÃO/ INSTAGRAM

1 Em seu perfil, procure pelo sinal de "+" no canto superior direito e clique em "Vídeo do IGTV".

FOTO: REPRODUÇÃO/ INSTAGRAM

2 Escolha o vídeo direto do rolo de câmera e clique em "Avançar". Lembre-se: ele precisa ter mais de um minuto e não ultrapassar uma hora de duração!

FOTO: REPRODUÇÃO/ INSTAGRAM

3 Aqui, você precisa definir um frame do próprio vídeo ou uma foto do rolo de câmera para ser a capa do material. Escolha com cuidado, já que ela será o primeiro atrativo para o conteúdo. Depois, é só clicar em "Avançar".

FOTO: REPRODUÇÃO/ INSTAGRAM

4 Preencha os espaços do "Título" e "Descrição". Escolha também se deseja que o IGTV apareça no seu Facebook e se o Instagram deve publicar uma prévia dos primeiros 15 segundos do vídeo no seu feed (o que costuma ser indicado). Aqui, ainda é possível ir em "Editar prévia" e "Editar capa do perfil".

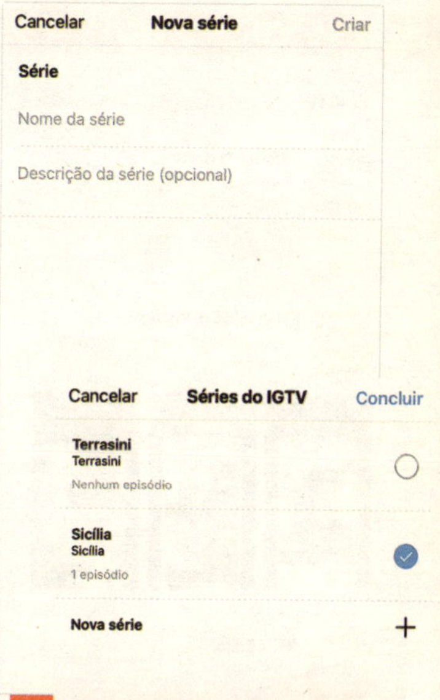

FOTOS: REPRODUÇÃO/ INSTAGRAM

5 Você ainda pode criar uma série com diferentes episódios. Vá em "Adicionar série" na mesma tela em que o título do vídeo foi escolhido, escreva o nome e a descrição, finalizando em "Criar" (figura 1). Agora, quando quiser postar os episódios seguintes, basta selecionar a série desejada (figura 2).

6 É assim que o vídeo vai aparecer no seu perfil: tanto no feed (figura 1) quanto na aba exclusiva do IGTV (figura 2).

FOTO: REPRODUÇÃO/ INSTAGRAM

Passo a passo do IGTV pelo aplicativo próprio

FOTO: REPRODUÇÃO/ INSTAGRAM

1 Para facilitar ainda mais o uso do IGTV, o Instagram criou um aplicativo somente para ele. Faça o download na Apple Store (para aparelhos iOS) ou na Google Play (para quem usa o sistema Android).

FOTO: REPRODUÇÃO/ INSTAGRAM

2 Clique em "Continuar como (o seu perfil)" ou em "Trocar conta" para acessar o perfil do seu negócio.

FOTO: REPRODUÇÃO/ INSTAGRAM

3 Na página inicial, clique no sinal de "+" para dar início à criação do seu próprio IGTV.

FOTO: REPRODUÇÃO/ INSTAGRAM

4 Permita o acesso do app à câmera e ao microfone do seu celular.

FOTO: REPRODUÇÃO/ INSTAGRAM

5 Em "Mãos livres", você pode gravar o vídeo direto do aplicativo ou escolher um que esteja no seu rolo de câmera. Basta clicar no ícone da paisagem, no canto inferior à esquerda.

FOTO: REPRODUÇÃO/ INSTAGRAM

6 Após escolher o vídeo desejado, clique na seta do canto inferior direito para avançar. Agora, basta seguir o tutorial anterior a partir do passo 3.

IGTV PARA NEGÓCIOS

Se os stories trazem um conjunto de vídeos de até 15 segundos que duram 24 horas no perfil, o IGTV vem com uma proposta totalmente diferente e semelhante à do YouTube. Afinal, ele foi pensado para dar profundidade ao conteúdo e ser perene na rede, já que esse tipo de vídeo permanece no feed e pode ser bem mais longo. Então, capriche no cenário e na luz na hora de planejar uma entrevista, um videoclipe ou até um quadro para o canal! Quer ideias para o conteúdo de cada um? Confira abaixo:

COMPARTILHE A SUA HISTÓRIA

Uma ótima maneira de estrear no IGTV é dividindo a sua história com a audiência. Para chegar a uma boa narrativa, não deixe de contar sobre as dificuldades da sua jornada e, principalmente, como superou cada uma delas. Também tente se aproximar ao máximo dos seus seguidores, reunindo informações relevantes sobre a marca, como os valores e a missão que ela carrega.

DICA
Sempre que alguém perguntar sobre a origem do seu negócio, basta compartilhar esse IGTV dedicado inteiramente ao assunto.

EXPLIQUE AS TÉCNICAS DO SEU NICHO

Use o IGTV para se aprofundar nas técnicas que você domina e nos termos mais comuns do seu nicho. Quem sabe, até criar uma série de vídeos? Por exemplo, se você tem uma loja de roupas ou de calçados, pode pensar em um quadro com três vídeos sobre como combinar cores, puxando para um dos assuntos mais comentados nos últimos anos: a coloração pessoal.

DICA
Pense em um título bem criativo e atraente para a série, já que ela vai aparecer mais de uma vez.

FAÇA UMA *COLAB*!

Uma das formas para engajar a audiência enquanto atrai novos seguidores ao perfil é criando uma live em conjunto com outro especialista do mesmo nicho. Por exemplo, se você ensina sobre investimentos no Instagram, que tal chamar um colega para conversar sobre o futuro do bitcoin? Já se você presta serviços na área da estética, que tal debater com o seu convidado sobre os pontos positivos e negativos de um novo procedimento?

DICA
Fique atento aos comentários para possíveis perguntas sobre o assunto, principalmente dos novos seguidores.

Reels

Se o stories foi inspirado pelo aplicativo do Snapchat, o Reels veio para competir com o app do TikTok! Com a mesma proposta de vídeos curtos e cheios de efeitos da rede vizinha, o Reels chegou em agosto de 2020 e foi pensado para aparecer no feed das contas comerciais ou na aba dedicada especialmente a ele (ícone quadrado com o sinal de "play"), podendo durar até 30 segundos.

É para esse espaço que você pode reservar o seu conteúdo mais divertido e informal, aproveitando-o para tutoriais rápidos, desafios – os famosos challenges de dança, maquiagem ou de outro vídeo que tenha se tornado viral –, tendências e, claro, publicidade! Confira abaixo o passo a passo para começar a criar no Reels:

Passo a passo

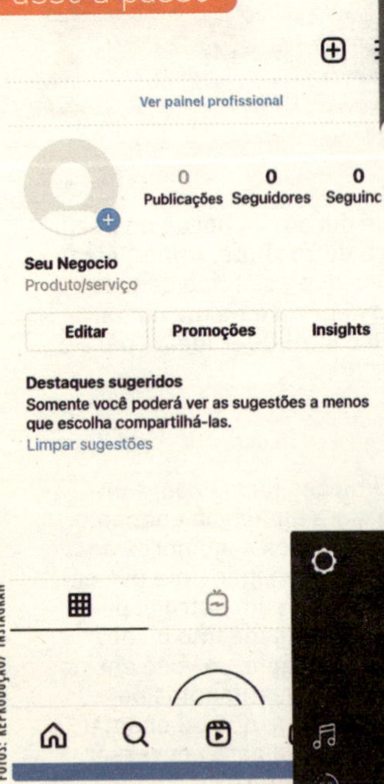

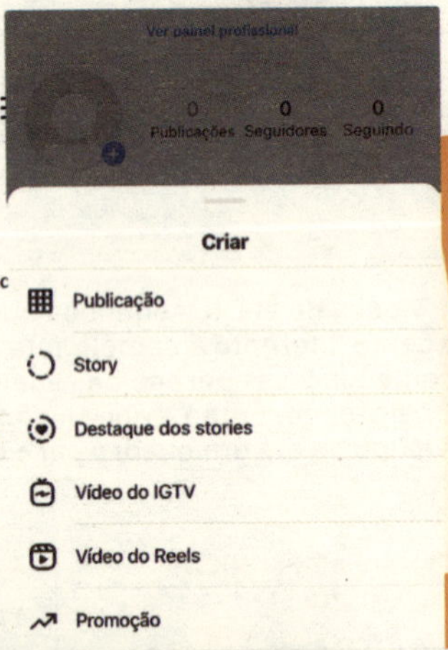

FOTOS: REPRODUÇÃO/ INSTAGRAM

1 No seu perfil, clique no "+" e escolha "Vídeo do Reels" (figuras 1 e 2). Ou acesse pelos stories, selecionando a câmera da ferramenta, na parte inferior da tela (figura 3).

FOTO: REPRODUÇÃO/ INSTAGRAM

2 Também é possível selecionar o ícone do Reels na parte inferior do perfil e entrar na aba reservada para ele. Aqui, você encontra todos os Reels publicados na rede. Para criar o seu, siga o passo 1.

FOTO: REPRODUÇÃO/ INSTAGRAM

3 Na tela do Reels, escolha a duração total do vídeo (15 ou 30 segundos) e quais ferramentas deseja usar, como música, velocidade, efeito, temporizador e alinhamento – todos no menu à esquerda. Ou selecione um vídeo da sua galeria de imagens, clicando na miniatura/quadrado do canto inferior esquerdo.

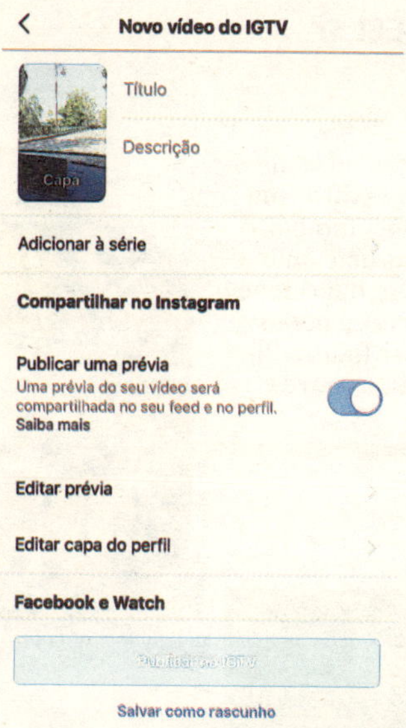

FOTO: REPRODUÇÃO/ INSTAGRAM

4 Comece a gravar, tocando no botão central e clique novamente para interromper. Os vídeos ficam salvos na seta à esquerda, para te dar a opção de voltar e editá-los ou excluí-los. Eles podem ser registrados em uma série de clipes, todos de uma vez, até completarem 30 segundos (o tempo é representado pela barra rosa no canto superior da tela). Para finalizar, clique em "Prévia".

FOTO: REPRODUÇÃO/ INSTAGRAM

5 Hora de publicar! Escolha uma imagem de capa, escreva uma legenda e marque outras contas. Também é possível publicar nos stories. Clique em "Compartilhar".

6 Encontre o Reels finalizado tanto no feed do seu perfil (figura 1), quanto na aba própria da ferramenta (figura 2).

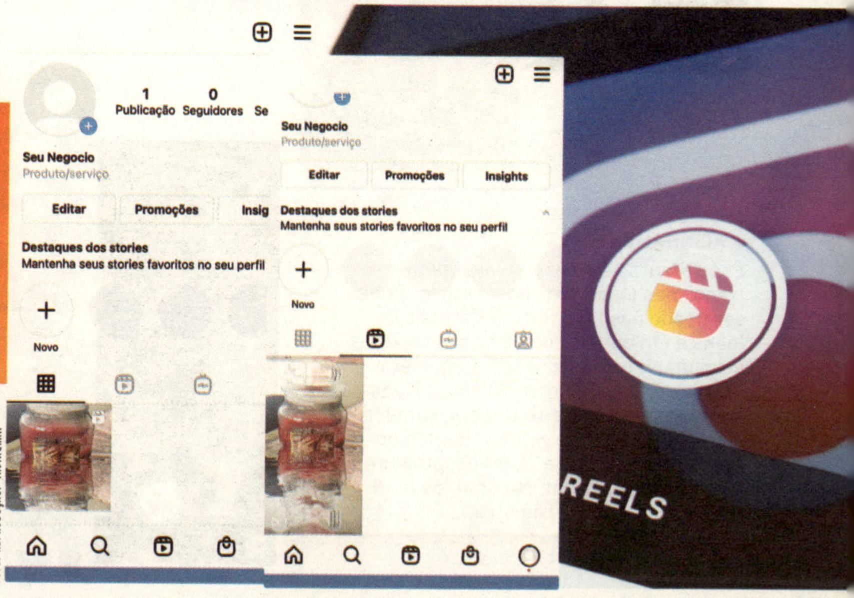

FOTO: REPRODUÇÃO/ INSTAGRAM

TOP 3 FERRAMENTAS DO REELS:

1. ÁUDIO

Além da biblioteca de músicas no ícone da nota musical, você pode gravar a sua voz simultaneamente ao vídeo, também chamado de voice-over. Após adicionar o conteúdo, clique no ícone de microfone (figura 1). Agora, basta apertar o botão vermelho e começar a gravar (figura 2). Se precisar pausar, basta clicar novamente no botão.

FOTOS: REPRODUÇÃO/ INSTAGRAM

FOTOS: REPRODUÇÃO/ INSTAGRAM

2. TELA VERDE (GREEN SCREEN)

Esse recurso serve para fazer vídeos com imagem de fundo! Para usá-lo, vá em "Efeitos" no menu à esquerda da tela de gravação (figura 1) e deslize o dedo até encontrar o filtro "Green Screen de Instagram". Depois, clique em "Adicionar mídia" para escolher a foto da sua galeria (figura 2). Vire a câmera para você no ícone do canto inferior esquerdo e comece a gravação (figura 3).

3. ALINHAMENTO

Esse recurso é o responsável pelas transições entre um clipe e outro. Pode ser usado nos tutoriais, nas trocas de looks e em outros cortes criativos. Após adicionar o primeiro vídeo, clique em "Alinhar", no ícone com dois quadrados sobrepostos (figura 1). Depois, comece a gravar o segundo vídeo, clicando no botão central (figura 2), ou escolha um da galeria do celular. No final, os dois irão se unir em um registro.

REELS PARA NEGÓCIOS

Separamos três pílulas de conteúdo que funcionam superbem no Reels. Comece a aplicar já no seu perfil!

REAPROVEITE O MELHOR DO SEU FEED

"Sobre a melhor maneira de utilizar o Reels, a dica que eu dou é a de escolher um post do seu perfil que tenha dado certo e publicá-lo novamente, mas no formado de Reels. Pode ser um carrossel, ou uma foto que você tenha feito, enfim, reaproveite esse conteúdo e faça um Reels dele, porque a probabilidade de dar certo e de viralizar é muito grande", orienta Rafaella Tozelli. Anotado!

DICA

Encontre os posts mais populares do seu perfil analisando as métricas de cada um, entregues pelo próprio Instagram. Basta selecionar a imagem que deseja no feed e clicar em "Ver insights".

APOSTE NOS *CHALLENGES*

Falando em virais, o posto de queridinho do Instagram quando o assunto é engajamento vai para os desafios, mais conhecidos na rede por *challenges*. Por isso, as chances do seu conteúdo obter um alcance maior nesse formato são bastante altas! Vale dublar as frases mais famosas de filmes e séries, seguir as "dancinhas" lançadas pelo seu artista favorito ou influencer da própria plataforma, fazer uma transição de looks, entre outros – tudo baseado na linha editorial da sua marca, claro. Não gosta de coreografias e nem de dublagens? Pule para a próxima pílula!

DICA

Aproveite as ferramentas do Reels, como o alinhamento, para os rápidos cortes entre os clipes.

CRIE TUTORIAIS DIVERTIDOS

Se a sua empresa for da área de alimentação, por exemplo, que tal compartilhar receitas rápidas ou a montagem de um dos pratos do seu menu? Você ainda pode usar a biblioteca de músicas do Instagram ou gravar a própria voz para explicar cada clipe. Outro exemplo serve para os estúdios de fotografia. Que tal compartilhar um tutorial de como montar as luzes de um ensaio ou de uma gravação corretamente? As possibilidades são infinitas!

DICA

Para se inspirar, acesse a aba do Reels e procure pelos tutoriais mais populares, principalmente do seu nicho.

Investimento estratégico

Entenda quanto e como investir em publicidade no Instagram para alcançar alta taxa de conversão com os seus anúncios e obter campanhas expressivas

POR CAROLINA SALOMÃO • IMAGENS: SHUTTERSTOCK

Em setembro de 2015, a plataforma liberou o Instagram Ads para todos os usuários – do pequeno ao médio empresário, além das grandes companhias de diversos países. Não demorou muito para que a ferramenta se tornasse uma peça-chave nas estratégias de marketing dos negócios físicos e digitais ao redor do mundo, já que ela se mostrou bastante intuitiva e barata – o mínimo de investimento sugerido pela rede social é de R$ 20 por dia.

Mas você deve estar se perguntando: por que apostar em promoções no aplicativo? Os cases de sucesso são muitos e não deixam ninguém mentir: patrocinar publicações no feed e nos stories é uma maneira promissora de alcançar um público além dos seus seguidores. No entanto, antes de começar a apostar o seu dinheiro em publicidade, é aconselhável definir muito bem o perfil em relação à audiência, linha editorial e, principalmente, à regularidade de conteúdo. Afinal, uma das etapas da criação de anúncios envolve estabelecer com detalhes o público-alvo que deseja atingir (faixa etária, gênero, localização etc.), além de a plataforma incentivar o trabalho prévio com o público orgânico, compartilhando conteúdo sobre os seus produtos e serviços ou mostrando os bastidores do seu dia a dia. Assim, as chances dos seguidores novos se identificarem com a sua marca e comprarem as suas mercadorias são bem maiores!

Feito isso, você estará pronto para escolher a meta principal, o target, o orçamento e a duração do seu anúncio. Após enviar a proposta, ela será analisada pela plataforma para garantir a conformidade com as Políticas de Publicidade e, se aprovada, ela vai ao ar. Pensou que fosse mais complicado? Então, prepare-se para seguir o tutorial de como criar anúncios de sucesso e coloque essa ideia em prática o quanto antes!

Formatos de anúncio

Conheça as possibilidades de conteúdo patrocinado e atraia mais público ao seu perfil

FOTO

Fazer anúncios com fotos é a maneira mais simples de criar a sua campanha, segundo a própria rede social. Para isso, recorra a imagens inspiradoras e texto envolvente.

FOTO: REPRODUÇÃO/ INSTAGRAM

VÍDEO

Há três formas de veicular uma campanha em vídeo na plataforma: por in-stream, enquanto o público assiste a outro vídeo; pelo feed ou pelos stories.

FOTO: REPRODUÇÃO/ INSTAGRAM

CARROSSEL

Permite apresentar de duas a dez imagens ou vídeos em um único anúncio – cada um com o próprio botão de ação. Aproveite esse espaço para mostrar produtos diferentes ou contar a história da sua marca. "Arrasta para o lado!".

FOTO: REPRODUÇÃO/ INSTAGRAM

CASE DE SUCESSO DOS ANÚNCIOS

"Quanto mais anunciávamos, mais pessoas vinham à nossa loja física". É assim que Andrea Petrin abre o vídeo do seu case de sucesso – que foi parar no mural de negócios mais bem-sucedidos do Instagram. Junto com a sua sócia, Fernanda Rodrigues, ela fundou a loja de vestidos de festa Majesté Festa (@majestestore) na cidade de São Paulo, há mais de oito anos. "Quando nós começamos a fazer os anúncios pelo Instagram, era um teste. Começamos com um budget menor e não sabíamos se iria dar certo. Quando vimos os números, concluímos que era isso o que deveríamos fazer", conta Andrea. Fernanda ainda explica no vídeo que um dos vestidos esgotou em uma semana, após criar um anúncio para ele na plataforma. Ela garante: "As pessoas vieram pelo Instagram". Além disso, ela conclui que o perfil na rede social, atualmente com 339 mil seguidores, foi a ferramenta "mais fácil e intuitiva" que usou para investir em publicidade! É ou não é uma oportunidade de ouro?

ANÚNCIO APROVADO!

Reunimos pontos importantes das Políticas de Publicidade do Instagram para que a sua campanha passe sem problemas pela análise da plataforma, que geralmente leva 24 horas para ter uma resposta. Confira o que precisa ser feito e o que deve ser evitado na hora de criar um anúncio:

Um dos pontos de maior confusão está na questão do conteúdo adulto. Mesmo que a imagem utilizada no anúncio não tenha natureza sexual, ela pode ser reprovada por excesso de pele ou seios à mostra, por exemplo.

Os anúncios não podem trazer afirmações ou sugestões diretas ou indiretas quanto a atributos pessoais, tais como raça, religião, identidade de gênero, antecedentes criminais, nome da pessoa, entre outros tópicos.

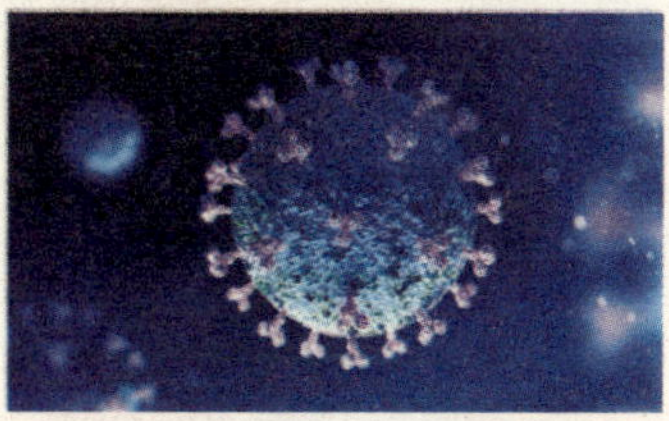

Uma das atualizações mais recentes do conteúdo proibido pela plataforma tem relação com o vírus da Covid-19: os anúncios não podem combater a vacina ou desencorajar a vacinação!

Jamais envie um anúncio com teor sexual, sensacionalista, violento, que infrinja os direitos de terceiros e que promova produtos, serviços ou atividades ilegais. As medidas para o descumprimento dessas regras vão do anúncio reprovado ao bloqueio da conta.

STATUS DA PROMOÇÃO

Para saber a situação da sua campanha em análise, basta esperar pelas notificações no seu feed de atividades. Elas irão te alertar quando a campanha estiver pendente, quando for aprovada ou reprovada, e quando chegar ao término do período escolhido para veiculação.

COMO CRIAR UM ANÚNCIO NO INSTAGRAM

Aprenda o passo a passo da criação de anúncio pelo aplicativo do Instagram

Passo a passo

FOTO: REPRODUÇÃO/ INSTAGRAM

1 Em sua conta comercial, clique no botão "Promoções", logo abaixo da biografia.

FOTO: REPRODUÇÃO/ INSTAGRAM

2 Em "Criar", você pode clicar em "Promover publicação popular", em que o próprio Instagram seleciona um post de alto engajamento orgânico. Também há a opção "Escolha uma publicação".

FOTO: REPRODUÇÃO/ INSTAGRAM

3 Se você preferiu a última alternativa, o seu feed ou story irá aparecer nesta tela. Para buscar o post ideal no seu feed, há três tipos de filtro: "Tudo", em que você pode escolher fotos, vídeos ou publicações em carrossel; "Todos os anos", em que você pode selecionar o período do conteúdo; e "Qualificado" ou "Não Qualificado", no qual o Instagram aponta as postagens mais fortes para essa ação. No story, há somente os últimos dois filtros mencionados. Depois de selecionar a publicação desejada, clique em "Avançar".

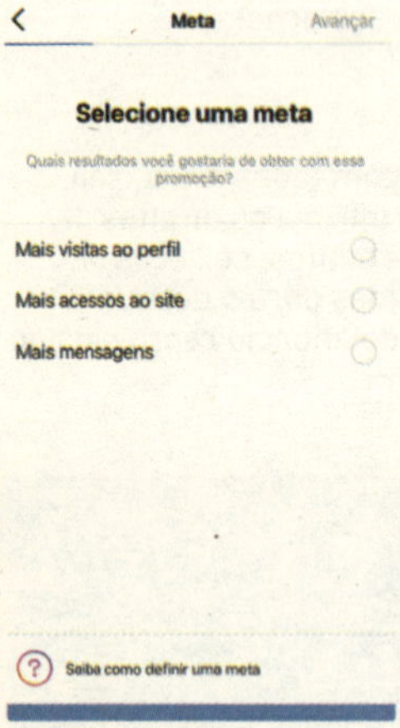

FOTO: REPRODUÇÃO/ INSTAGRAM

4 Você será levado para uma espécie de painel de metas. Escolha os resultados que deseja obter com essa promoção: "Mais visitas ao perfil", "Mais acessos ao site" ou "Mais mensagens". Após selecionar o seu objetivo, clique em "Avançar".

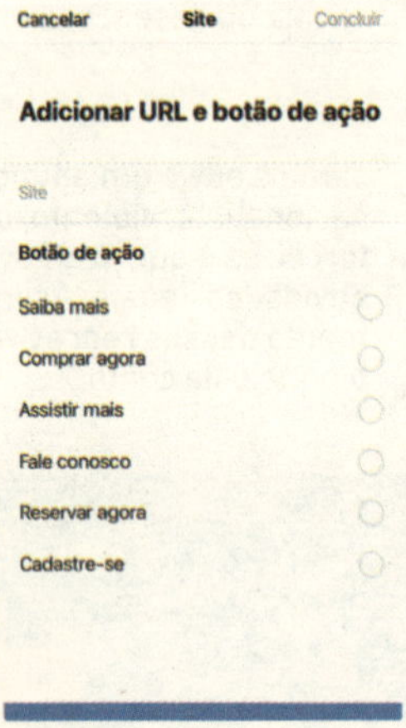

FOTO: REPRODUÇÃO/ INSTAGRAM

5 Se você selecionar a segunda alternativa, uma tela extra irá se abrir. Aqui, você deve adicionar a URL do site e escolher o botão de ação, que varia entre "Saiba mais", "Comprar agora", "Fale conosco", entre outros.

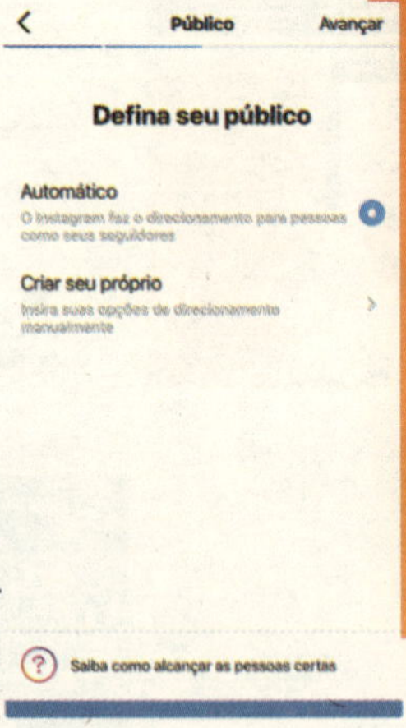

FOTO: REPRODUÇÃO/ INSTAGRAM

6 Hora de definir o público! Você pode escolher entre "Automático", no qual a própria plataforma faz o direcionamento do post para pessoas com os mesmos interesses dos seus seguidores, ou "Criar seu próprio", em que você faz o processo manualmente. Para continuar, clique "Avançar".

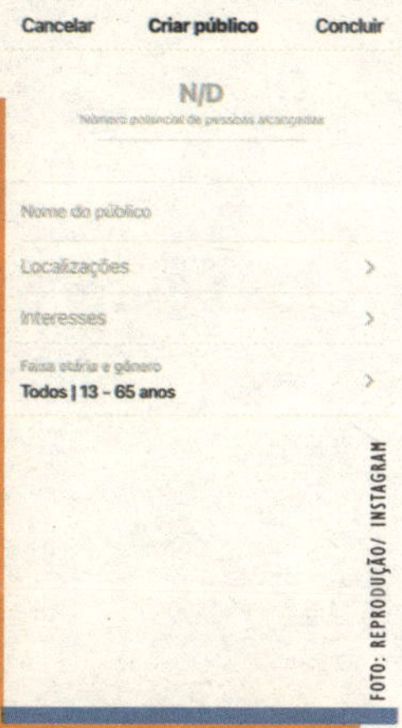

FOTO: REPRODUÇÃO/ INSTAGRAM

7 Se você selecionou a segunda alternativa, preencha os seguintes dados:
Nome do público: Escolha um nome para a audiência que deseja atingir;
Localizações: Selecione entre "Regional" ou "Local". A última opção pedirá a sua localização atual ou o endereço desejado, além do raio de distância que você pretende atingir. O mais legal da ferramenta é que ela mostra o número potencial de pessoas alcançadas e separa a meta em "Muito específico" ou "Excelente".
Interesses: Neste tópico, você pode pesquisar por palavras-chave que representam os interesses gerais do público que você deseja alcançar e que tenham relação com o seu negócio;
Faixa etária e gênero: Escolha entre as idades de 13 e 65 anos, além do gênero da audiência que deve receber o seu post patrocinado. Apenas o público masculino? Só o feminino? Ou os dois?

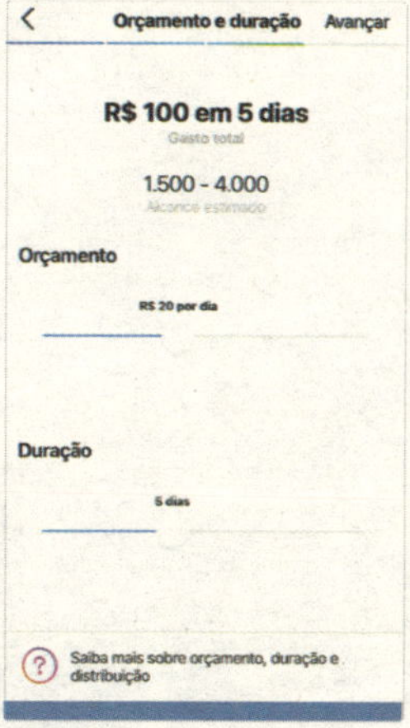

FOTO: REPRODUÇÃO/ INSTAGRAM

8 Chegou o momento de escolher o orçamento e a duração da sua campanha! Você pode começar a anunciar com apenas R$ 1 por dia, mas, para obter um alcance melhor, o próprio Instagram recomenda um valor mínimo diário de R$ 20 durante 5 dias. Clique em "Avançar" para continuar.

FOTO: REPRODUÇÃO/ INSTAGRAM

9 Estamos quase lá! Nesta tela, você precisa conferir todos os dados selecionados anteriormente e incluir a forma de pagamento. Aqui, também é possível ver uma prévia de como será o anúncio no feed, nos stories e no "Explorar". Quando tudo estiver pronto e confirmado, clique no botão "Criar promoção".

FOTO: REPRODUÇÃO/ INSTAGRAM

10 É assim que o seu anúncio irá aparecer para o público. O link azul na parte inferior do post muda de acordo com a meta escolhida no passo 4. Por exemplo, para a opção "Mais acessos ao perfil", o link levará as pessoas que clicarem nele para a sua conta.

ANÚNCIO NO STORY

Você pode promover tanto os stories ativos quanto aqueles que foram destacados ou arquivados. Porém, algumas ferramentas do story não estão disponíveis para os conteúdos patrocinados. A própria plataforma alerta para evitar o uso de GIFs, emojis, música, mais de uma figurinha e outros recursos de criação.
Além disso, vale lembrar que apesar dos stories ativos expirarem em 24 horas, os patrocinados continuarão sendo veiculados como anúncio pelo tempo que você determinou.

GERENCIADOR DE ANÚNCIOS

Não é apenas pelo aplicativo do Instagram que você pode criar e acompanhar o desempenho dos seus anúncios. Afinal, pelo próprio desktop do computador é possível acessar uma espécie de "sala de controle das promoções". Basta entrar no seu perfil do Facebook e procurar por "Gerenciador de Anúncios" no menu principal. Depois, adicione a conta do Instagram desejada em "Configurações do negócio" → "Contas do Instagram".

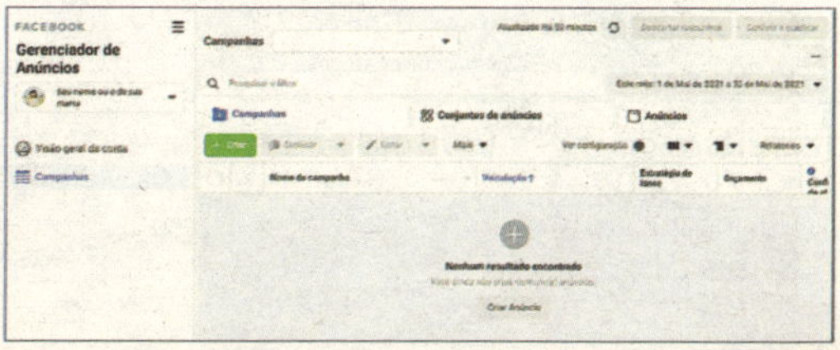

Roda da fortuna

Uma das estratégias de marketing mais usadas por negócios digitais é a de promoções e sorteios. Porém, esse tipo de ação precisa de certos cuidados. Descubra quais são eles e saiba como esse recurso pode ajudar no crescimento da sua marca!

POR CAROLINA SALOMÃO • IMAGENS: SHUTTERSTOCK

"Preparei um superpresente para vocês. Para ganhar, é só seguir esse @ e todos os outros que ele estiver seguindo, mencionar três pessoas nos comentários e deixar o seu perfil desbloqueado na data do resultado para conferência das regras". Se você costuma a acompanhar algum influencer das redes sociais, artista ou celebridade, já deve ter visto uma legenda como essa em um post bem atrativo, geralmente com a pessoa em meio a centenas de produtos – desde maletas de maquiagens até caixas de iPhone de última geração –, ou até mesmo ao lado de um automóvel! Mas, afinal, qual é o objetivo dos negócios ao apostarem nos sorteios?

Apesar de cada perfil ter uma estratégia definida, o maior foco dessas promoções está na divulgação do produto ou marca e no aumento dos seguidores em um curto período, visto que uma das regras mais usadas nessa prática é a do participante marcar os amigos nos comentários da publicação, causando um efeito dominó em que esses amigos possam se interessar em tentar a sorte também. Vale lembrar que as marcações geram interação, ou seja, também aumentam o engajamento do perfil em um espaço curto de tempo. Além disso, ainda há a satisfação causada pelo prêmio, melhorando a sua relação com a audiência mesmo que nem todos saiam vencedores.

No entanto, tenha bastante cuidado: você precisa estar atento às leis brasileiras para não cometer nenhum deslize com o Ministério da Fazenda. Para evitar qualquer problema, revelamos tudo o que você precisa saber para aproveitar as promoções no seu perfil de forma segura tanto para o seu negócio quanto para os participantes!

É legal realizar sorteios no Instagram?

De acordo com a própria página da Secretaria Especial de Fazenda, a "distribuição gratuita de prêmios" ou a "promoção comercial" significam "uma estratégia de marketing que consiste na distribuição gratuita de prêmios visando alavancar a venda de produtos ou serviços, e/ou a promoção de marcas ou imagens, dentre outros". As promoções são reguladas no Brasil pela Lei nº 5.768 de 20 de dezembro de 1971, mas foi apenas em julho de 2013 que o governo brasileiro proibiu a realização da prática nas redes sociais sem autorização prévia do Ministério da Fazenda. Ou seja, não basta ter um perfil no Instagram para realizar essa ação.

Para enviar uma solicitação, é necessário entrar no link do Sistema de Controle de Promoção Comercial (SCPC), www.scpc.sefel.fazenda.gov.br, e pagar uma taxa. Há também a possibilidade de entrar em contato com os canais de comunicação do Sistema para esclarecer dúvidas durante o processo.

ATENÇÃO!

- O lançamento e até a divulgação da promoção não podem ser feitos antes de receber o Certificado de Autorização emitido pela Secretaria de Avaliação, Planejamento, Energia e Loteria (SECAP), cujo número deve estar legível e constar em todo o material da promoção comercial;
- Respeite o prazo da permissão descrito no Certificado de Autorização. Ele não ultrapassa 12 meses;
- As penalidades para a empresa que realizar o sorteio sem permissão ou não respeitar o Regulamento aprovado podem envolver a cassação da autorização, a proibição da prática por até dois anos e multa de até 100% do valor total dos prêmios;
- É proibida a conversão ou a distribuição de prêmios em dinheiro;
- É necessário prestar contas após o término da ação.

Para informações detalhadas, acesse: https://www.gov.br/fazenda/pt-br

DE OLHO NAS REGRAS DO INSTAGRAM!
A plataforma também tem normas próprias quanto à realização de promoções, como, por exemplo, deixar claro no post que o aplicativo não tem envolvimento algum com o sorteio.
Para mais informações sobre as regras exigidas pela rede, acesse: https://www.facebook.com/help/instagram/179379842258600

O QUE DEVE TER NA SUA ESTRATÉGIA DE PROMOÇÃO?

DEFINA SEU OBJETIVO

1 Após entender as implicações legais das promoções realizadas em uma rede social, chegou a hora de se perguntar: "o que desejo atingir com essa ação?". Afinal, definir os objetivos em relação à plataforma é o primeiro passo de qualquer estratégia de marketing digital e te trará clareza durante cada passo do processo. Neste caso, além de ganhar mais seguidores e aumentar o engajamento do perfil em um curto espaço de tempo, ainda há a possibilidade de criar maior aproximação com o público, divulgar um produto específico ou serviço, e captar leads (conquistar o contato dos compradores em potencial), trazendo a audiência do Instagram para uma landing page própria – website para conversão, como o seu site ou uma página de vendas. Os objetivos são inúmeros!

ESCOLHA O PRÊMIO

2 Você se lembra de quando apontamos a importância de definir seu público-alvo? Nesta etapa, por exemplo, você pode errar feio por não saber quem é a sua persona (pessoa para a qual deseja vender), comprometendo todo o potencial de uma promoção. Afinal, o ideal é que você pense a longo prazo e queira construir uma relação com os novos seguidores, evitando que grande parte deles dê unfollow no seu perfil após o término do sorteio. Para isso, nada mais aconselhável do que eleger um produto ou serviço do seu próprio negócio como prêmio. Assim, os participantes novos vão ter a oportunidade de conhecer mais sobre a marca logo no início da ação, enquanto você melhora o relacionamento com quem já é seguidor antigo. Prêmio acertado é aquele capaz de gerar identificação com a sua marca!

REGRAS DE PARTICIPAÇÃO

3 A regra desta etapa é que não há regras! Aqui, você pode soltar a criatividade, porém, sempre pensando em atingir os objetivos definidos no primeiro item. Por exemplo, uma regra geralmente utilizada é pedir para seguirem o perfil, pois isso irá aumentar significativamente o número de seguidores e, por consequência, o alcance da página. Essa norma pode ser combinada com outra que traga uma nova finalidade: pedir para marcarem um ou mais amigos nos comentários acelera a divulgação do sorteio e gera alto engajamento na publicação. Outro ponto importante é que todas as regras estejam bastante claras para evitar futuros conflitos entre as partes envolvidas no sorteio. Assim, você estará pronto para lançar a promoção!

CHECKLIST DE AÇÃO: O QUE NÃO PODE FALTAR!

1. O número de ganhadores e qual será o prêmio de cada um (deixe tudo bem detalhado)
2. Data de início e fim do sorteio
3. Perfis válidos para as marcações – páginas fakes, de celebridades ou de lojas geralmente não são levadas em consideração por quem faz o sorteio
4. Indicar que o perfil dos participantes esteja no modo público para análise do cumprimento das regras
5. Se você não tiver planos de arcar com o envio do prêmio para o exterior, deixe claro que o sorteio contempla apenas residentes no Brasil
6. Evite golpes: comunique o contato oficial da promoção para impedir que criminosos se passem por você ou por outro administrador do perfil

COMO REALIZAR O SORTEIO

Um dos sites mais populares entre os instagrammers para sortear os vencedores, o SorteioGram, é gratuito e bastante simples. Basta acessar a página da ferramenta e ter dois dados em mãos: nome de usuário do Instagram e e-mail. Depois, é necessário selecionar a publicação do sorteio e aguardar até que o botão "Sortear um Número" seja liberado – o tempo de espera depende da quantidade de comentários no post, já que ele cria uma lista em que cada um é computado. Não se esqueça de filmar ou tirar print do resultado para compartilhar posteriormente em suas redes!

FOTO: REPRODUÇÃO SORTEIOGRAM

DICA

Muitos influenciadores anunciam o vencedor (ou vencedores) por meio de uma live no Instagram ou pelos stories, criando um verdadeiro evento para aumentar as visualizações do perfil no dia. Há também quem faz o próprio sorteio ao vivo, mas essa maneira é aconselhada apenas para regras mais simples. Assim, você pode verificá-las junto com a audiência, mostrando total transparência do processo.

SORTEIO DE LUXO!

Com um total de 10,3 milhões de likes, o post do sorteio de Kylie Jenner, uma das irmãs Kardashians, entrou para a história do Instagram! Lançada em 11 de novembro de 2020 para todos os seus fãs, a promoção totalizava mais de R$400 mil, divididos entre um cartão e várias bolsas da grife Louis Vuitton! O sorteio "básico" durou apenas dois dias e trazia regras bem comuns às promoções realizadas na plataforma como, por exemplo, seguir todos os perfis mencionados pela Kylie. Depois, o participante retornava ao post e respondia a uma pergunta lançada pela empresária. Que tal se inspirar na expert de Instagram e também usar uma pergunta para turbinar o seu engajamento durante a ação?

FOTO: REPRODUÇÃO INSTAGRAM

3.90
6
8
1100
1200
1400
1500
1600
46
Instagram

Painel de controle

Agora que você já estudou sobre produção de conteúdo no Instagram, chegou a hora de usar as ferramentas que medem o desempenho de cada publicação, além de conhecer os principais dados do seu público-alvo – sem pagar nada por isso

POR CAROLINA SALOMÃO • IMAGENS: SHUTTERSTOCK

Se antes era necessário recorrer aos aplicativos específicos de análise de métricas, hoje é possível ter acesso a grande parte do desempenho do seu conteúdo dentro da própria rede social. Lançado em 2016, o Instagram Insights é mais um recurso pensado pela plataforma para se firmar como uma das pioneiras no mercado de negócios digitais. Foi após escutar os usuários das contas comerciais que a rede enxergou a oportunidade de atrair mais marcas ao unir criação de conteúdo com ferramentas de marketing. Afinal, segundo o Instagram, 90% dos usuários seguem o perfil de uma empresa e 50% deles ficam mais interessados em uma marca quando veem anúncios dela na plataforma.

Apesar de a palavra "métricas" e "ferramentas" assustarem de início quem não está acostumado com o universo do marketing digital, muitos iniciantes na área se adaptam rápido ao recurso, assim como ocorre com o Instagram Ads (anúncios), já que os insights são bastante intuitivos e práticos de serem usados.

Mas qual é a importância de acompanhar cada um deles? É por meio das métricas que você terá acesso aos dados gerais da sua audiência, como, por exemplo, a faixa etária que mais acompanha o seu perfil, de quais lugares as pessoas visitam a sua conta, quantidade de vezes em que uma publicação foi salva ou compartilhada entre o público, além de outras informações essenciais para começar a traçar a sua estratégia de crescimento e vendas. Não perca mais tempo!

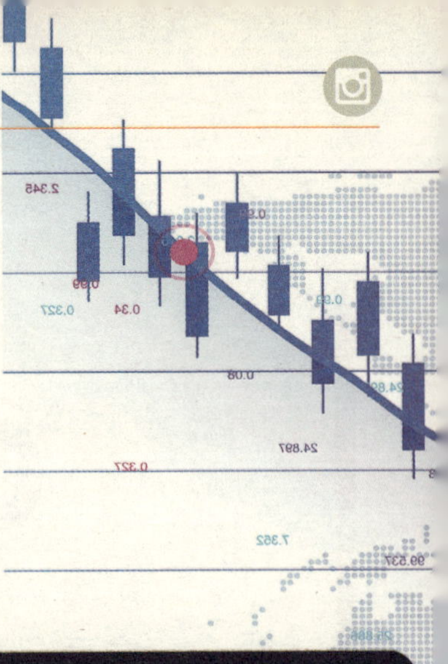

Como acessar as métricas

Conheça as diferentes formas de acessar as suas métricas tela por tela, aprenda o que cada *insight* significa e comece a usar a ferramenta mais poderosa do Instagram no marketing do seu negócio. Você vai ver que é mais simples do que parece!

Pelo perfil

Clique no botão "Insights" do perfil, logo abaixo da sua biografia.

FOTO: REPRODUÇÃO/ INSTAGRAM

INSIGHTS

Essa é a primeira tela que se abre após clicar no botão "Insights" do perfil:

- Período: Logo acima da tela, você pode escolher visualizar o desempenho da sua conta nos últimos 7 dias ou 30 dias.

- Destaques recentes: A primeira informação que você encontra é a de quantos seguidores novos foram conquistados no período selecionado.

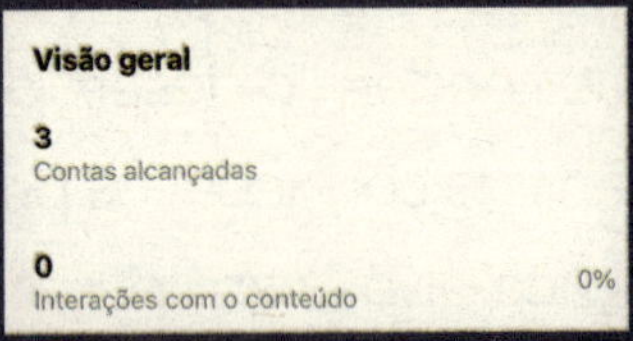

FOTO: REPRODUÇÃO/ INSTAGRAM

VISÃO GERAL

Na mesma tela, você encontra a parte da "Visão geral", que é dividida em:

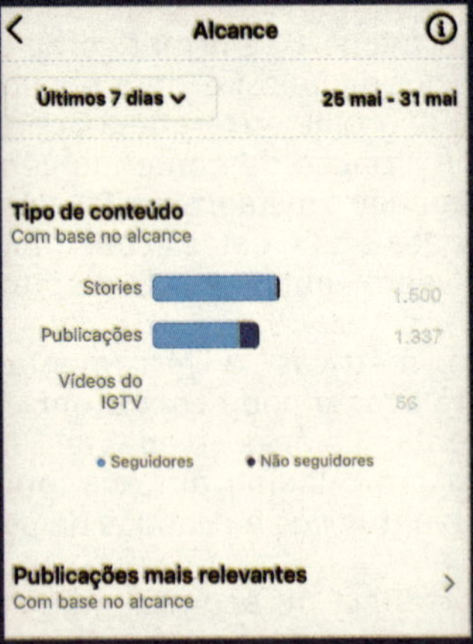

FOTO: REPRODUÇÃO/ INSTAGRAM

ALCANCE/CONTAS ALCANÇADAS:

Ao clicar na seta do canto direito, uma nova tela se abre. Aqui, você terá acesso ao número e aos gráficos do alcance do seu perfil, que nada mais é do que todas as contas únicas que viram qualquer uma das suas publicações durante o período analisado. O gráfico em pizza, por exemplo, se divide em "seguidores" e "não seguidores", e entrega uma comparação de quantos não seguidores viram o seu conteúdo em relação ao período anterior. Vale lembrar que, segundo o próprio Instagram, a métrica de alcance é uma estimativa e pode não representar a quantidade exata.

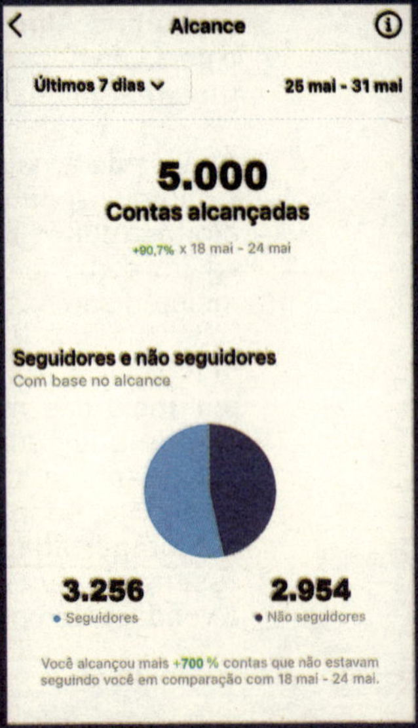

FOTO: REPRODUÇÃO/ INSTAGRAM

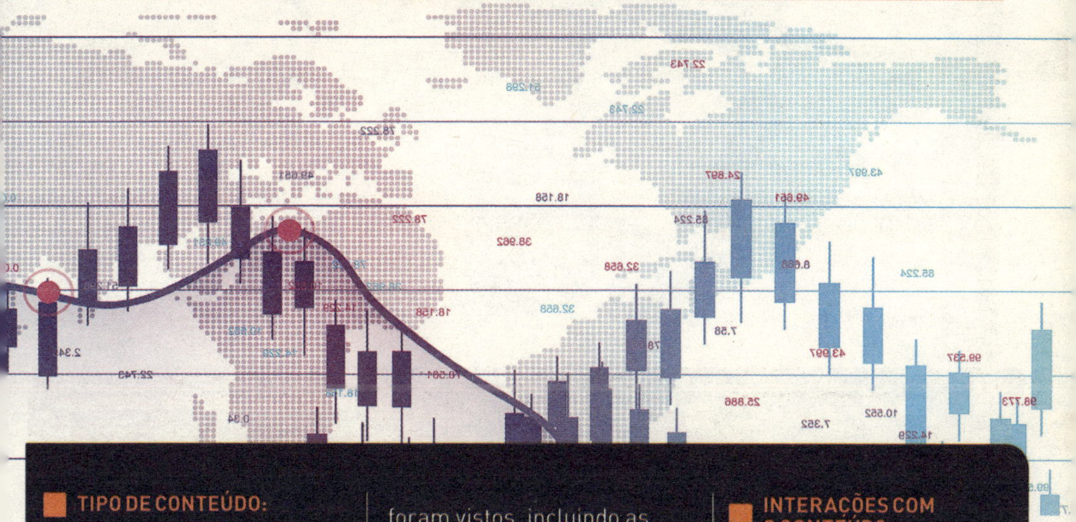

TIPO DE CONTEÚDO:

Descendo a tela, há o desempenho dos conteúdos. O gráfico em barras mostra quantos seguidores e não seguidores visualizaram seus stories, suas publicações no feed e seus vídeos do IGTV, tudo em ordem crescente de popularidade. Mais abaixo, você encontra uma seleção das publicações e stories mais fortes durante o período selecionado.

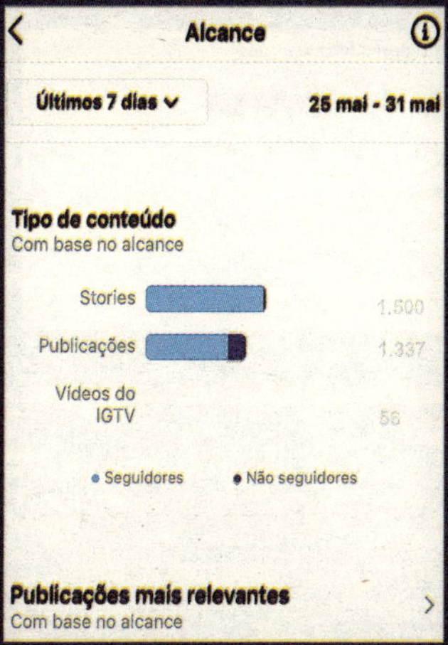

FOTO: REPRODUÇÃO/ INSTAGRAM

IMPRESSÕES:

Podemos analisar as impressões, que representam a quantidade total de vezes que as suas publicações ou perfil foram vistos, incluindo as pessoas que podem ter visualizado o mesmo conteúdo ou a sua conta mais de uma vez. Por exemplo, se um seguidor visitou o perfil por quatro vezes, você obteve quatro impressões, mas um alcance.

ATIVIDADES NO PERFIL:

Ainda há as métricas que apresentam as atividades no perfil, como quantidade de visitas, toques no botão "Enviar e-mail", "Ligar" ou "Como chegar" (para negócios que também são físicos). Vale lembrar que os botões só funcionam para quem deixou os contatos do perfil no modo público.

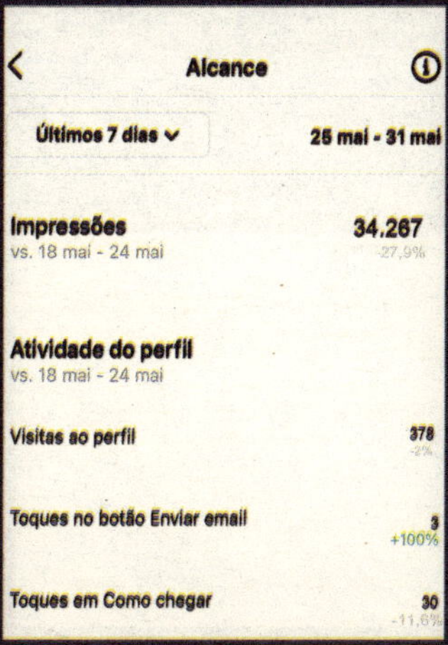

FOTO: REPRODUÇÃO/ INSTAGRAM

INTERAÇÕES COM O CONTEÚDO:

Ao clicar nesta seta, você será levado para uma nova tela. Só que, desta vez, os números representam as interações (conjunto de ações) realizadas no seu perfil em relação às publicações no feed, nos stories, no IGTV e nos vídeos ao vivo, como curtidas, compartilhamentos e salvamentos.

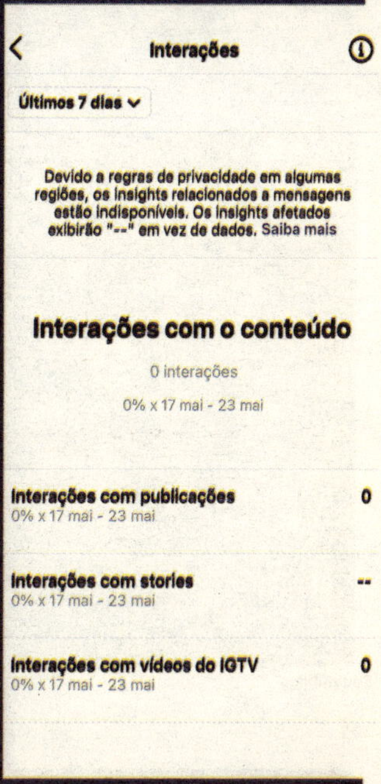

FOTO: REPRODUÇÃO/ INSTAGRAM

MÉTRICAS DO PÚBLICO

Descendo a tela, há o desempenho dos conteúdos. O gráfico em barras mostra quantos seguidores e não seguidores visualizaram os seus stories, as publicações no feed e os vídeos do IGTV, tudo em ordem crescente de popularidade. Mais abaixo, você encontra uma seleção de publicações e stories mais fortes durante o período selecionado.

FOTO: REPRODUÇÃO/ INSTAGRAM

DETALHAMENTO POR SEGUIDOR:

A primeira informação que aparece é o número total de seguidores do perfil acompanhado da porcentagem de crescimento durante o período selecionado. Se for positivo, o resultado irá aparecer em verde e terá o sinal de "+". Se for negativo, terá o sinal de subtração e estará em vermelho.

FOTO: REPRODUÇÃO/ INSTAGRAM

CRESCIMENTO:

Nessa etapa, você terá acesso ao número de seguidores novos, de seguidores que deixaram de acompanhar o seu perfil e do resultado geral da categoria. Há também um gráfico para ilustrar o pico de ganho de seguidores no período analisado!

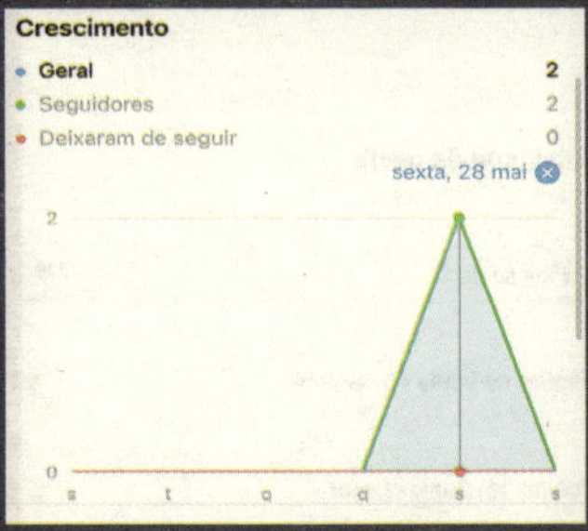

FOTO: REPRODUÇÃO/ INSTAGRAM

DICA:

Estude as publicações produzidas nos dias de pico. Esse pode ser um dos indicativos de que a sua audiência aprova aquele tipo de conteúdo, além de mostrar que o seu perfil apresenta maior engajamento naqueles dias.

PRINCIPAIS LOCALIZAÇÕES:

Aqui, você tem acesso às porcentagens das cinco principais cidades e dos cinco principais países alcançados pelo seu perfil.

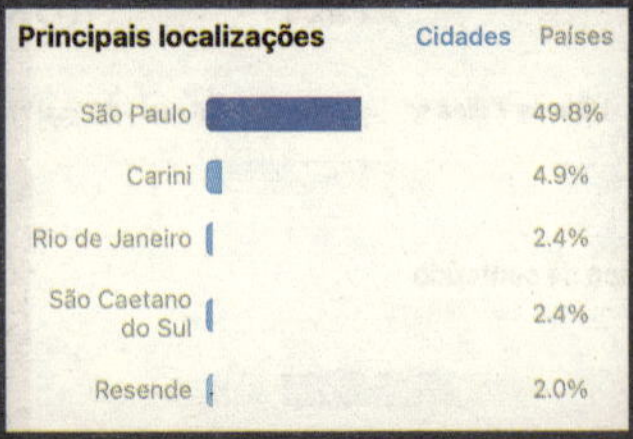

FOTO: REPRODUÇÃO/ INSTAGRAM

DICA:

Se o seu perfil atinge grandes porcentagens de dois ou mais países com idiomas diferentes, vale fazer uma pesquisa mais aprofundada com o seu público sobre essa questão. Afinal, esse é um dado importante sobre a história e o comportamento da sua persona. Além disso, dependendo da sua linha editorial, você pode encontrar novos conteúdos para seus posts.

FAIXA ETÁRIA:

Além dos locais, os insights entregam a faixa etária mais interessada no seu conteúdo. Ela começa nos 13 a 17 anos e vai até 65 anos +. Você ainda pode visualizar as porcentagens divididas por gênero: qual é a idade mais atingida entre os homens? E as mulheres? Para isso, basta selecionar cada opção no canto superior.

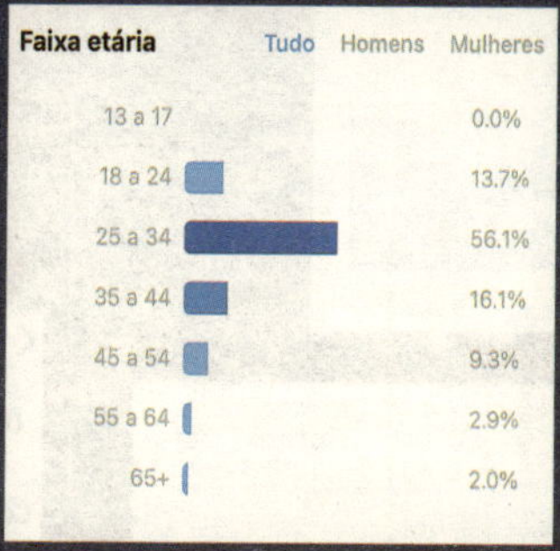

FOTO: REPRODUÇÃO/ INSTAGRAM

DICA:
De forma geral, essa métrica pode trazer dados importantes sobre os interesses atuais da sua persona em diferentes áreas: cultural, profissional, familiar etc.

GÊNERO:

Em um gráfico de pizza, o Instagram apresenta a porcentagem de homens e mulheres que acompanham o seu conteúdo. Assim, você pode decidir entre conteúdos mais femininos, mais masculinos ou aqueles mais neutros, que conseguem abranger os dois públicos.

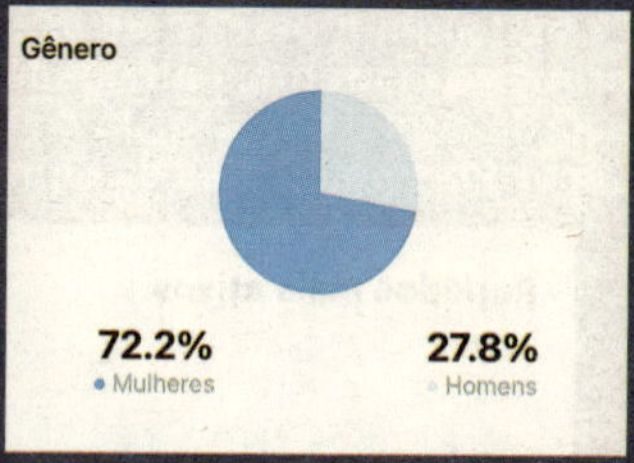

FOTO: REPRODUÇÃO/ INSTAGRAM

DICA:
Além do conteúdo, esse dado pode ajudar a definir outros aspectos do seu perfil, como, por exemplo, a identidade visual. Ou seja, quais cores, fontes e imagens escolher para se comunicar melhor com o seu público?

PERÍODOS MAIS ATIVOS:

Esse insight mostra dois gráficos em barras. O primeiro contém as atividades no seu perfil de acordo com o horário. Já o segundo traz as atividades separadas pelos dias da semana.

FOTOS: REPRODUÇÃO/ INSTAGRAM

SUPERDICA:
A resposta para a clássica pergunta "qual é o melhor dia e horário para postar no Instagram?" está aqui! Mesmo que existam pesquisas sobre os hábitos gerais dos usuários na plataforma, a maneira mais eficiente de descobrir como o seu perfil funciona é analisando insights personalizados como esse. Identifique os picos de audiência dos gráficos e prepare posts especiais para serem compartilhados no dia de maior alcance e no horário mais indicado para a sua conta!

CONTEÚDO QUE VOCÊ COMPARTILHOU:

Ao rolar a barra da tela principal, você encontra o menu que leva às métricas do conteúdo compartilhado no período, tanto no feed, quanto no story, além do IGTV e das publicações patrocinadas. Basta clicar na seta ao lado decada aba e acompanhar o desempenho do conteúdo selecionado.

FOTO: REPRODUÇÃO/ INSTAGRAM

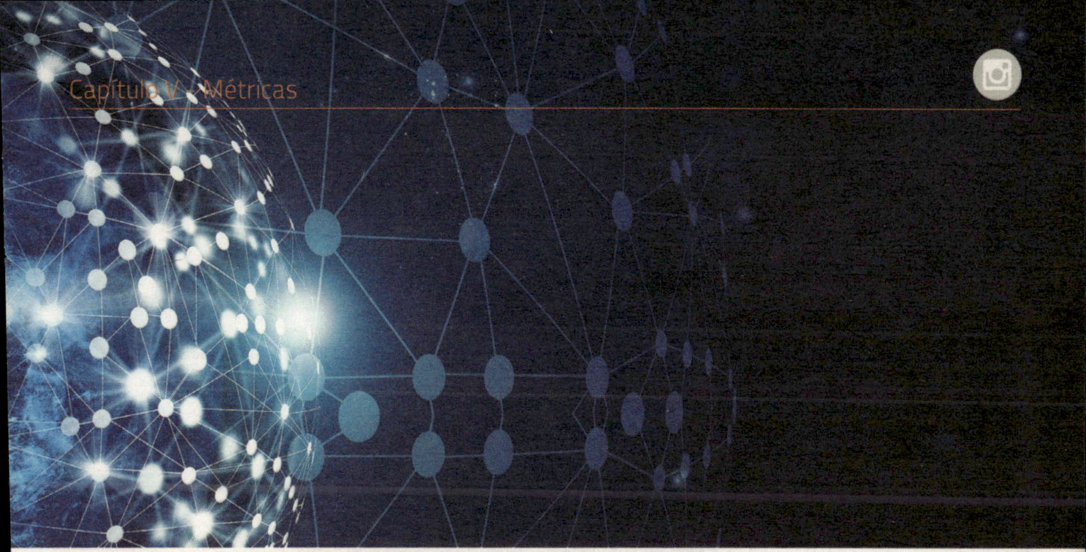

Pelo feed

Escolha a publicação que você deseja analisar e clique em "Ver insights" no canto esquerdo, logo abaixo da imagem ou vídeo.

FOTO: REPRODUÇÃO/ INSTAGRAM

INSIGHTS SOBRE A PUBLICAÇÃO

A primeira parte da tela traz as seguintes informações:

1. Ícone dos likes: Quantidade de vezes em que os usuários curtiram o post.
2. Ícone dos comentários: Quantidade de comentários que o post recebeu.
3. Ícone dos compartilhamentos: Número de vezes em que a publicação foi compartilhada entre os usuários da rede social.
Ícone dos salvamentos: Quantidade de vezes em que o conteúdo foi salvo pela audiência para futuras consultas.
5. Visitas ao perfil: Número de vezes em que entraram no seu perfil a partir desta publicação.
6. Alcance: Número de pessoas que visualizaram o seu post.

FOTO: REPRODUÇÃO/ INSTAGRAM

SUPERDICA:
Nesta etapa, fique atento ao tipo de conteúdo que funciona mais para salvamentos, outro para compartilhamentos e aquele que recebe mais comentários ou curtidas. Mas será que existe uma interação mais forte do que a outra? A verdade é que cada uma tem importância, mas o Instagram entende que a sua publicação é bastante relevante quando usuários começam a enviá-la para amigos, clicando no "aviãozinho" do compartilhamento, ou quando eles guardam para visualizá-la novamente, selecionando o ícone do salvamento.

INTERAÇÕES

Descendo a tela principal, chegamos às interações do post, que mostram as ações executadas a partir desta publicação. Ou seja, o número total de "Visitas ao perfil", além do "Como chegar" para negócios físicos, que nada mais é do que o número de toques para obter informações de como chegar à sua empresa.

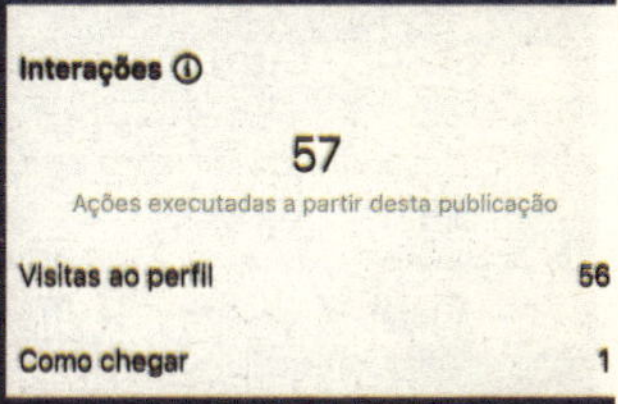

FOTO: REPRODUÇÃO/ INSTAGRAM

DESCOBERTA

Aqui, você terá acesso aos seguidores trazidos pela publicação e ao alcance gerado por ela. Além disso, há as impressões totais do post e onde as pessoas encontram o seu conteúdo, como página inicial, perfil, aba do Explorar e outros lugares da rede.

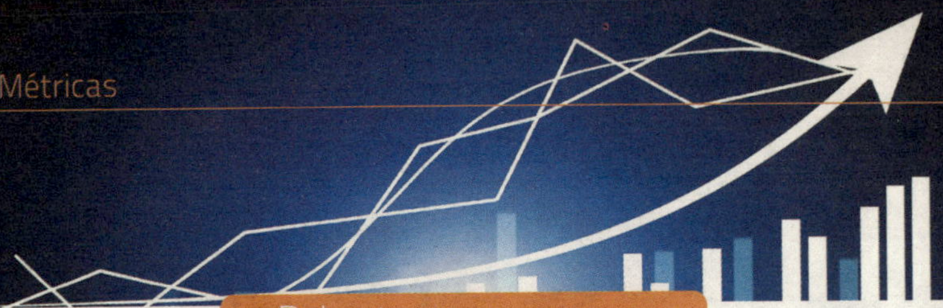

Pelo story

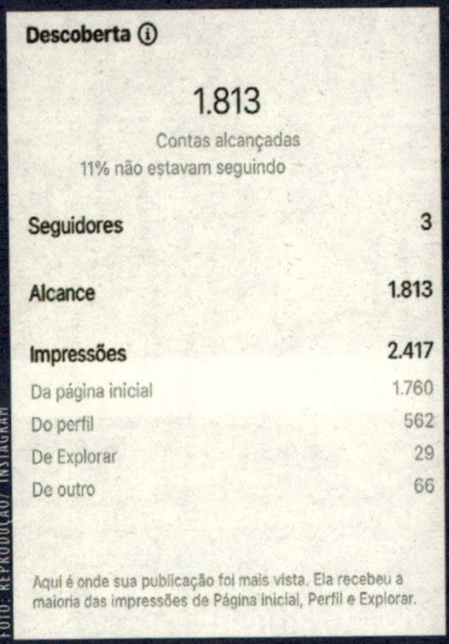

FOTO: REPRODUÇÃO/ INSTAGRAM

Apesar de os stories expirarem em 24 horas, eles ficam guardados para que os insights possam ser analisados posteriormente. Para acessá-los, clique no botão "insights" do perfil e role a tela até "Conteúdo que você compartilhou". A publicação do dia irá aparecer na parte dos stories. Ah, e fique tranquilo: essas métricas são visíveis apenas para você!

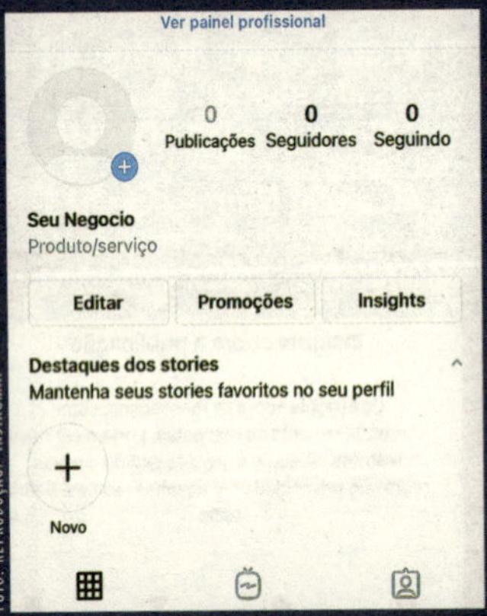

FOTO: REPRODUÇÃO/ INSTAGRAM

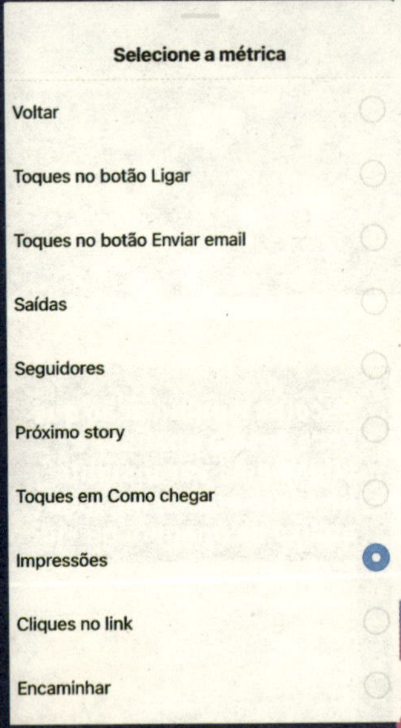

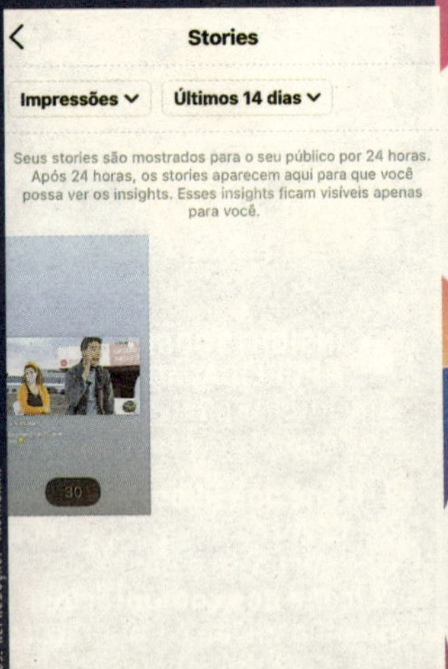

FOTOS: REPRODUÇÃO/ INSTAGRAM

PROMOÇÃO

Se você ficou bastante satisfeito com o desempenho do post, ainda há a possibilidade de transformá-lo em um anúncio para aumentar o alcance da sua conta. Basta clicar no botão azul de "Promover esta publicação".

FOTO: REPRODUÇÃO/ INSTAGRAM

PERÍODO:

Nos stories, é possível escolher o período a ser estudado entre as opções "Ontem", "Últimos 7 dias", "Últimos 14 dias" e "Últimos 30 dias".

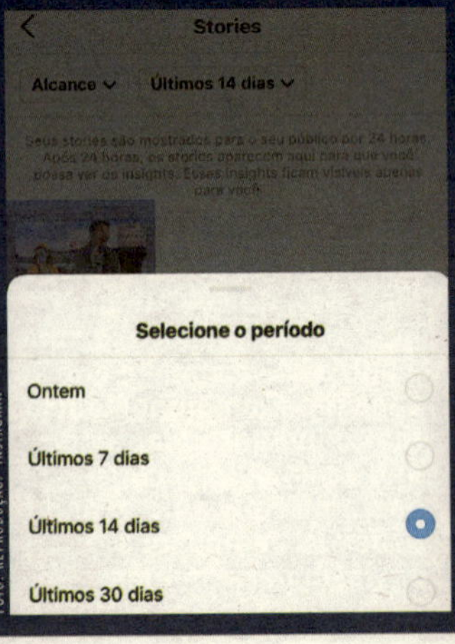

FOTO: REPRODUÇÃO/ INSTAGRAM

ALCANCE:

Nos stories, há diversas alternativas que podem ser analisadas. Você consegue escolher entre: "Toques no botão Enviar email", "Impressões", "Alcance", "Toques no site", entre outros.

ENTREVISTA COM A ESPECIALISTA: RAFAELLA TOZELLI (@GERACAOINFLUENCIADORA)

Com mais de mil alunos e cinco anos de experiência no mercado, a empreendedora e influenciadora digital tem como missão ensinar pessoas a criarem seus próprios negócios e a acelerarem seus resultados de crescimento e vendas por meio do on-line.

FOTO: ARQUIVO PESSOAL

Rafaella Tozelli

Coleção Marketing Online - Instagran: Qual a frequência de análise das métricas?

Rafaella Tozelli: Não existe a quantidade exata. Geralmente, todas as pessoas que postam uma publicação ficam olhando as métricas a cada cinco minutos. Postamos e já ficamos ansiosos para ver se o conteúdo está dando resultado ou não. Porém, você deve verificar as suas métricas ao menos uma vez por semana. Esse seria um período bom para você analisar os seus resultados. Além disso, não adianta fazer apenas três posts e verificar o desempenho deles, porque você não consegue entender se o conteúdo está realmente dando certo. É muito pouco para alcançar mais pessoas. Por isso que, principalmente no início, é interessante produzir bastante conteúdo. Hoje, por exemplo, tenho 43 mil seguidores e faço postagens duas vezes por dia, principalmente para entender o que dá certo e o que não dá, para investir naquilo que me faz crescer. Então, quanto mais produzir, melhor você vai conseguir analisar as suas métricas e constatar o que dá certo.

CMO: Quais são os erros cometidos ao estudar os insights?

RT: Um dos erros é quando as pessoas começam a postar e, por causa das métricas baixas, pensam que ninguém está acompanhando, diminuem a frequência de posts ou param completamente. Sendo que no início, quanto mais você postar, mais chances de crescer. Outra confusão é quando o post viraliza ou apresenta engajamento muito maior do que a pessoa esperava, mas não agrega valor para o negócio. Ele é conteúdo topo de funil, ou seja, atrai mais seguidores para o seu perfil, mas não converte. Então, o perigo é investir apenas nesse tipo de conteúdo e não variar com publicações que a fariam vender de verdade. No fim, ela só fica atraindo e atraindo, mas não consegue utilizar a rede social como trabalho.

CMO: Qual a hora de mudar de estratégia?

RT: Quando você tem constância, está postando duas vezes por dia e entende de linha editorial, ou seja, sabe quais tipos de conteúdo postar e as pessoas interagem bem com o perfil, mas elas não enxergam valor em você e não compram o seu produto. Então, é hora de mudar de estratégia! Além disso, precisa analisar se o produto está muito caro para o seu nicho, se você não está sabendo vender para a audiência, ou, ainda, se o conteúdo não é direcionado para agregar valor ao que você quer vender e, assim, não converte as pessoas que chegam à sua conta.

Assista ao vídeo exclusivo de **Rafaela Tozzeli.**

o mundo do 7 em 1

O que são lançamentos? É verdade que existem pessoas faturando cinco, seis e até sete dígitos em um dia? Como começar a trabalhar nessa área? Saiba a resposta para essas e mais perguntas a seguir!

POR CAROLINA SALOMÃO • IMAGENS: SHUTTERSTOCK

Se antes apenas as blogueiras e os influencers conseguiam faturar alto com publiposts e fechar contratos de milhares de reais no Instagram, agora, cada vez mais professores, confeiteiros, nutricionistas, médicos e outros profissionais alcançam uma fatia (bem grande) desse bolo, virando experts de um lançamento. Afinal, na ilha dos lançadores, qualquer habilidade pode ser monetizada, transformada em um produto – também chamado de infoproduto – e obter ganhos de múltiplos dígitos em poucos dias! E não estamos falando somente dos grandes players da área – apesar de muitos deles também terem começado os seus projetos do zero –, mas de pessoas que abandonaram o sistema tradicional de trabalho para empreender no próprio negócio digital.

Além do alcance que só o on-line proporciona, os investimentos iniciais são bem mais baratos em relação às necessidades de uma empresa física. Mas o que são lançamentos? O formato veio importado dos Estados Unidos para o Brasil por Erico Rocha, o criador do "Fórmula de Lançamento", programa de treinamento que ensina um método de venda e promete faturamento de 6 dígitos em 7 dias – o famoso 6 em 7. As possibilidades de infoproduto são diversas: e-books, mapas mentais, masterclasses, consultorias, mentorias e, os mais populares entre eles, cursos on-line.

Não sabe por onde começar? Conheça os tipos de lançamentos existentes, as funções que sustentam essa máquina de fazer dinheiro e os primeiros passos para entrar nesse universo!

A ilha do lançamento: quem é quem no projeto

O EXPERT

Ele é o ponto de partida de todo esse universo e a pessoa que reunirá um exército de admiradores no perfil. A sua maior função é produzir conteúdo frequentemente e em diferentes formatos (vídeo, foto, e-books, lives etc.), apresentar soluções para as dúvidas dos seguidores e trabalhar constantemente o relacionamento com a audiência. Por exemplo, é o especialista que será o rosto diário nos stories, o responsável pelos temas das lives e pelas respostas das caixinhas de perguntas.

Tesouro secreto: personalidade e expertise da área na qual atua.

O CO-PRODUTOR

É o braço direito – e esquerdo! – do expert. Afinal, ele também pode ser chamado de estrategista digital e, como o próprio nome adianta, é o responsável por todo o planejamento técnico que caracteriza um lançamento. Por exemplo, enquanto o especialista é o rosto do projeto e está em uma live no Instagram, o co-produtor cuida dos bastidores de cada etapa. Vale lembrar que, como ele irá trabalhar diariamente e bastante próximo ao expert, é importante que os dois tenham visões muito bem alinhadas e formem uma boa dupla.

Tesouro secreto: gerência e criação de estratégias.

O COPYWRITER

Segundo o blog da Hotmart, uma das plataformas mais populares de cursos on-line, copywrting é "uma forma de convencer seu público a realizar alguma ação específica – como baixar um material, acessar seu site ou realizar uma compra – por meio da escrita persuasiva, utilizando técnicas capazes de tornar sua oferta irresistível!". Apesar disso, muitos profissionais da área afirmam que não é preciso ter o dom da escrita para se tornar um copywriter de sucesso: o mais importante é saber descobrir o que a audiência quer do expert e vencer todas as objeções – justificativas para não realizar a compra, por exemplo – criadas por ela. Você pode encontrar o trabalho do copywriter no texto da página de vendas, no e-mail marketing enviado ao público durante o lançamento, entre outros escritos do projeto.

Tesouro secreto: investigação, persuasão e texto.

O GESTOR DE TRÁFEGO

Se o copywriter é um dos pilares do lançamento, o gestor de tráfego é outro! Afinal, ele é o responsável pela circulação e o desempenho dos anúncios, oferecendo desde o orçamento até a análise dos resultados da campanha, como as taxas de conversão de cada ads. Apesar de muitos lançadores não terem investido em tráfego no início da carreira, mas crescido de forma totalmente orgânica, os resultados por tráfego pago chegam muito mais rápido.

Tesouro secreto: domínio de códigos e métricas.

O SUPORTE

Além de ser o cartão de visitas do negócio, ele pode se tornar a porta de entrada para quem quer começar a trabalhar com lançamentos. O suporte é responsável pelo atendimento ao consumidor e precisa de um conhecimento detalhado sobre todas as plataformas utilizadas no projeto. Os melhores suportes são conhecidos pela rapidez nas respostas, agilidade nas soluções durante o processo da compra e o período da experiência com o infoproduto ou serviço, entre outros aspectos do relacionamento com o cliente. Dependendo da necessidade do projeto ou do tamanho da empresa, o suporte pode ser feito por uma pessoa ou uma equipe de profissionais.

Tesouro secreto: ótimo relacionamento com o cliente, organização e agilidade.

BÔNUS: OUTROS PRESTADORES DE SERVIÇO

O DESIGNER

Em um lançamento, ainda há o trabalho de quem faz os criativos (arte das publicações), as ilustrações dos mapas mentais, a diagramação dos e-books, o layout da página de vendas, entre outros serviços que envolvem design gráfico.

O EDITOR DE VÍDEOS

Peça importante para a elaboração de cursos on-lines como infoproduto, o editor também auxilia em todas as etapas que envolvem vídeos para o Instagram, como, por exemplo, os nuggets (vídeos curtos) do projeto – que muitas vezes são patrocinados para atrair mais pessoas ao perfil e à Semana do Desafio.

O CONTADOR

Assim como ocorre em negócios físicos, o contador cuida da emissão da nota fiscal, além de outros assuntos financeiros e tributários referentes ao lançamento e à sua empresa.

LEMBRETE:
No mercado digital, um especialista pode ter duas ou mais funções. Por exemplo, há pessoas que são experts e co-produtoras de si mesmas e até de outros, ou abordam sobre copywriting no perfil e, assim, se tornam experts também. O mesmo acontece com quem trabalha com tráfego e é expert do nicho, e assim por diante.

A HISTÓRIA DO LANÇAMENTO

5 fatos sobre...

O criador do método de vendas mais falado do momento e o responsável por trazer essa fórmula para o Brasil!

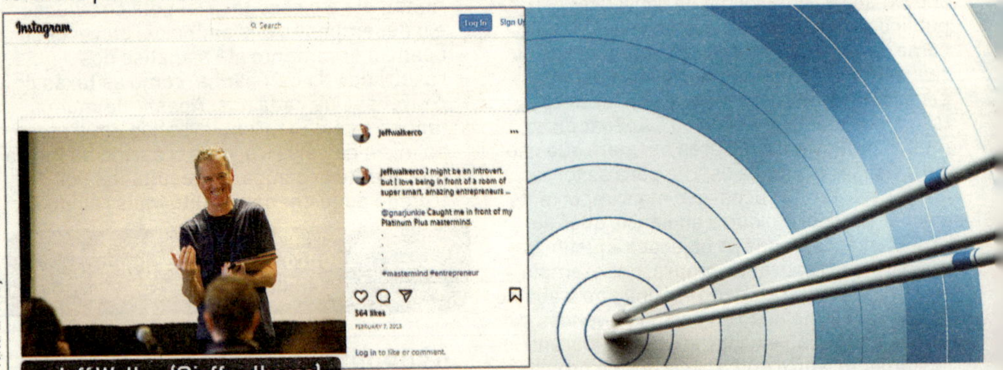

... Jeff Walker (@jeffwalkerco)

FOTOS: REPRODUÇÃO/ INSTAGRAM

1

AS PRINCIPAIS CRIAÇÕES

■ Jeff é o criador do famoso Product Launch Formula (em português, "Fórmula do Lançamento de Produto"), o curso on-line que ensina microempreendedores a vender pela internet. Além disso, ele é o autor do livro "A Fórmula do Lançamento: As estratégias secretas para vender on-line, criar um negócio de sucesso e viver a vida dos seus sonhos", publicado em junho de 2019.

2

COMO TUDO COMEÇOU

■ Ele começou a trabalhar com a internet em 1996, após largar o emprego no mundo corporativo para cuidar dos dois filhos pequenos. Na época, ele escrevia sobre o mercado de ações em uma newsletter enviada por e-mail para 19 pessoas – direto do quarto dos bebês e sem cobrar nada por isso.

3

A PRIMEIRA OFERTA

■ Jeff ficou muito nervoso quando fez a primeira oferta para a lista de e-mail, que tinha começado a crescer bastante. "Eu sabia que precisava vender algo, mas continuei procrastinando porque eu não era um vendedor – e não sabia como fazer uma oferta. Então, continuei entregando mais conteúdo de valor... E quando eu finalmente fiz a oferta, as pessoas ficaram muito animadas em comprá-la", explicou Jeff em seu site.

4

O NASCIMENTO DO PRODUCT LAUNCH FORMULA

■ Ele continuou aperfeiçoando essa fórmula até que estivesse "quase validada", percebendo que o verdadeiro ouro estava no método com o qual ele vendia seus produtos. Depois de compartilhar as suas descobertas em palestras, Jeff decidiu criar seu próprio passo a passo de vendas on-line para que qualquer pessoa pudesse seguir. Assim, nascia o Product Launch Formula e, com ele, os faturamentos milionários da família Walker.

5

NOS DIAS DE HOJE

■ Atualmente, Jeff vive com a esposa em Durango, Colorado, nos Estados Unidos, enquanto realiza eventos on-line que reúnem mais de mil pessoas. Além disso, ele conquistou "tempo suficiente para investir em suas paixões". Algumas delas são esquiar e praticar mountain bike com os filhos.

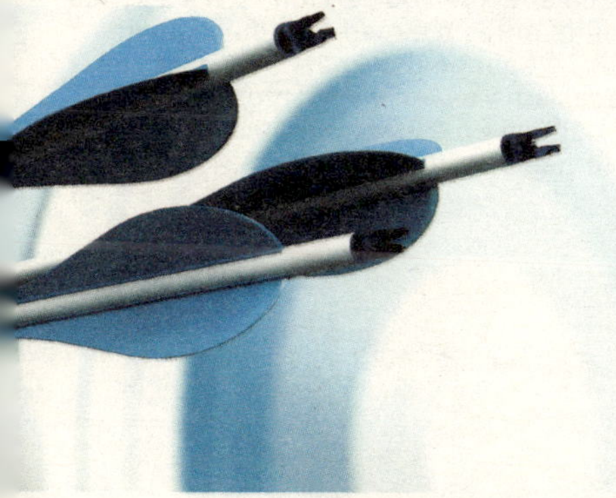

... Erico Rocha (@rochaerico)

FOTOS: REPRODUÇÃO/ INSTAGRAM

1 TRABALHO ESTÁVEL, ALMA INSATISFEITA

■ Antes de criar o "Fórmula de Lançamento", e apesar de ter um emprego estável em um banco na área da Computação, Erico revelou ao site da InfoMoney que não gostava do que fazia, já que sempre foi interessado no mundo do empreendedorismo. O impulso de que precisava veio após a leitura do "Trabalhe 4 Horas por Semana", de Timothy Ferris.

2 ERICO CONHECE JEFF WALKER

■ Após abrir a empresa e ter um faturamento baixo com o primeiro produto – um site que reunia todas as informações sobre leilões de imóveis, chamado ProLeilões – Erico encontrou os vídeos de Jeff Walker na internet e decidiu comprar o Product Launch Formula, que na época custava US$ 5 mil. **Valeu a pena:** segundo a InfoMoney, com o curso de vendas, Erico faturou mais de R$ 100 mil em apenas sete dias no primeiro lançamento!

3 NASCE A FÓRMULA DO BRASIL

■ Depois de resultados tão expressivos, Erico decidiu negociar com o próprio Jeff Walker sobre o licenciamento do curso e trouxe o método de ouro para o Brasil, chamando-o de "Fórmula de Lançamento". Seu primeiro evento ocorreu de forma presencial e tinha menos de cem pessoas. Porém, em 2013, já eram 750 clientes interessados. Em 2015, o empreendedor esperava por volta de 2.500 pessoas!

4 FATURAMENTO

■ Segundo artigo no site da InfoMoney, já em 2015, aos 37 anos, Erico esperava faturar R$ 30 milhões com o seu conjunto de empresas – só com o Fórmula, eram quase R$ 10 milhões.

5 NOS DIAS DE HOJE

■ Atualmente, com cerca de dois milhões de seguidores no Instagram, o empreendedor continua com o seu trabalho no marketing digital e reúne relatos poderosos de alunos que conquistaram o "6 em 7" – faturamento de seis dígitos em sete dias – prometido no próprio curso de Erico. Um dos testemunhos traz a história de uma nutricionista que começou no digital sem ideia de produto, mas, seguindo os passos do Fórmula, faturou mais de R$ 140 mil.

O LANÇAMENTO MAIS POPULAR

Esse é o formato mais indicado para iniciantes pelos especialistas e, provavelmente, o primeiro lançamento que você viu acontecer no Instagram. A "Semana do Desafio", por exemplo, é composta por uma série de lives dentro da plataforma, que geralmente se desenrolam ao longo de sete dias e ocorrem logo antes da abertura do carrinho para a venda do seu infoproduto. No entanto, o trabalho começa muito antes e a média de duração de todo o projeto é de 30 a 45 dias. O tema de cada ao vivo? Depende do expert e do nicho de atuação, mas os objetivos são os mesmos: o de oferecer uma espécie de "amostra grátis" do que o público irá encontrar no infoproduto e fazer com que o espectador já saia da semana especial com um plano de ação contra os problemas discutidos.

PONTOS POSITIVOS

Além de ser mais barato do que os outros tipos de lançamento, você pode aproveitar os vídeos do Desafio em conteúdo para o IGTV ou oferecê-los como bônus para quem comprou o produto. Outra vantagem apontada pelo próprio Erico Rocha no artigo "Quais são os três tipos de lançamento e quando usar cada um", publicado em março de 2021 em seu site, é a possibilidade de criar o produto após o fechamento do carrinho e, assim, testar a oferta sem precisar investir alto e correr o risco de perder todo o material quando não houver vendas. No Semente, "você vende antes de ter o curso pronto e, o que é melhor, você entrega aos poucos, adaptando às necessidades dos seus clientes ao invés de supor o que é que eles querem e precisam", escreveu Erico.

PONTOS NEGATIVOS

No mesmo artigo, Erico também traz as desvantagens do formato, sendo a principal delas a dificuldade de alcançar o 6 em 7 de primeira e o perigo de o aluno "viciar" no modelo. "O problema é que o Semente não foi feito para escalar. Assim, quando você fica repetindo o formato, ele tende a perder a eficiência", pontuou Erico.

OUTROS FORMATOS:

VENDER NO PERPÉTUO

Basicamente, vender no perpétuo é não fechar o carrinho de compras e dar a oportunidade para os seus clientes adquirirem o infoproduto ou serviço quando quiserem. Por outro lado, ele exige um investimento maior para manter a estrutura sempre ativa, como, por exemplo, a existência contínua do suporte e a plataforma que hospeda o seu infoproduto.

RECORRÊNCIA

Já pensou em obter ganhos recorrentes de um mesmo produto por tempo indeterminado? Isso é possível com os infoprodutos de recorrência, como, por exemplo, o formato de assinaturas. Por meio delas, seu negócio digital passa a ter ganhos semanais, mensais ou anuais de um mesmo infoproduto.

O QUE VENDER?

Conheça os principais formatos de infoproduto que podem ser oferecidos em um lançamento.

E-BOOKS

São livros digitais acessados por smartphones, computadores e dispositivos móveis como o e-reader Kindle, que surgiu especialmente para eles. Por serem mais simples e às vezes apresentarem custo inicial nulo, o formato é uma ótima maneira de começar a agradar a sua audiência e pode ser criado com a ajuda de aplicativos como o Canva. No entanto, hoje em dia, muitos especialistas usam os e-books somente para iscas digitais do lançamento – outro tipo de "amostra grátis" para atrair compradores em potencial (leads) do infoproduto em si – ou como bônus aos alunos após o fechamento do carrinho.

MAPAS MENTAIS

Essa é uma ótima oportunidade para quem se dá bem com ilustrações e entende de design gráfico. Afinal, os mapas mentais nada mais são do que representações visuais de um resumo, com o objetivo de auxiliar nos estudos e na fixação dos conceitos principais de um determinado assunto. Assim como os e-books, os mapas mentais podem ser o próprio infoproduto, a isca digital da sua captação de leads, ou o bônus de outra solução mais cara que você deseja vender.

MASTERCLASSES

Como o próprio nome adianta, a "aula de mestre", em tradução livre para o português, é muito utilizada na esteira de infoprodutos de especialistas de diversos alcances e nichos. Afinal, ela pode ser comercializada por um preço acessível enquanto oferece espaço suficiente para o expert se aprofundar em um tema específico da área em que atua. A duração de uma masterclass fica a critério do professor, mas, geralmente, tem cerca de 3 horas em diante, além de ser possível entregá-la ao vivo ou gravada.

CURSOS ON-LINE

Em 2020, como consequência da quarentena durante a pandemia causada pelo vírus da Covid-19, o mercado de cursos on-line sofreu um *boom* jamais visto antes. Confinadas em casa, pessoas de todo o mundo enxergaram duas oportunidade em suas horas vagas: de um lado, as que investiram em conhecimento, mesmo que à distância, e do outro, as que apostaram em um novo modelo de negócio por meio de plataformas próprias ou de cursos on-line! Além disso, questões relacionadas à duração, número de módulos e outros aspectos da estrutura de ensino variam de acordo com o método e as necessidades de cada expert.

CONSULTORIAS E MENTORIAS

Outra possibilidade dentro do mercado digital é a venda dos seus serviços como consultor ou mentor. Enquanto o primeiro oferece uma análise individual sobre os problemas apresentados pelo cliente, o segundo traz um acompanhamento ainda mais próximo, transformando a mentoria em uma das soluções mais caras da esteira de produtos de um expert. Para se ter ideia, a hora de mentoria de um especialista pode variar entre R$ 5 mil e R$ 20 mil! Já a consultoria é ofertada com preços bem mais modestos, algo em torno de R$ 100 e R$ 200. Porém, nesse quesito, não há regras: é você quem define a precificação dos serviços.

CURIOSIDADE:
Há alguns anos, era comum ver experts de diferentes nichos vendendo acesso ao Close Friends (em português, "amigos próximos") do Instagram, que nada mais são do que os stories "escondidos" do público geral e visíveis apenas aos perfis escolhidos por você. Inclusive, foi assim que muitos deles começaram a lucrar na plataforma, já que a ferramenta sempre foi gratuita e de fácil uso. Porém, conforme os especialistas cresciam na rede social, mais difícil era controlar a lista dos consumidores e, principalmente, o pagamento de cada um, já que cada seleção só pode ser feita manualmente.

PARA SEGUIR: O HALL DOS MÚLTIPLOS DÍGITOS NO BRASIL!

ICARO DE CARVALHO (@ICARODECARVALHO)

Especialista em copywriting, autor do "Transformando palavras em dinheiro" e co-fundador do O Novo Mercado, escola de negócios digitais que já reúne mais de 30 mil alunos, Icaro é um dos expoentes mais importantes do mercado de lançamentos digitais – atualmente, ele detém a atenção de quase 1 milhão de seguidores apenas em sua conta do Instagram.

FOTOS: REPRODUÇÃO/ INSTAGRAM

FOTOS: REPRODUÇÃO/ INSTAGRAM

CAROL CANTELLI

Com quase 800 mil seguidores só no Instagram, a instrategista (como Carol se descreve em seu perfil, unindo o nome da rede social à palavra "estrategista") e arquiteta de interiores tirou de letra o mercado de lançamentos, alcançando uma renda atual que supera os sete dígitos por ano, segundo o site da Revista Empreende.

PRISCILA ZILLO (@PRISCILAZILLO)

Há mais de dez anos empreendendo no mercado on-line, Priscila é estrategista especialista em lançamento de experts no digital. Já são mais de cem lançamentos ao longo de sua carreira, além de múltiplos dígitos de faturamento.

FOTOS: REPRODUÇÃO/ INSTAGRAM

FOTOS: REPRODUÇÃO/ INSTAGRAM

PEDRO SOBRAL (@PEDROSOBRAL)

"O carinha dos anúncios on-line" – é assim que o próprio Pedro se descreve em seu perfil do Instagram. Com mais de 500 mil seguidores na plataforma, o expert em tráfego já gerenciou o investimento de milhões de reais em campanhas on-line e, atualmente, trabalha com grandes players do mercado digital, como Mairo Vergara e Erico Rocha.

MINHA AGENDA DE LANÇAMENTOS

Quer saber o que tem na agenda de um lançador? Neste capítulo, selecionamos as etapas mais importantes de um Lançamento por Desafio para você.

ESCOLHER O INFOPRODUTO:

- [x] CURSO ON-LINE
- [x] MASTERCLASS
- [x] CONSULTORIA
- [x] MAPA MENTAL
- [x] E-BOOK
- [x] OUTRO:
- [ ]
- [ ]
- [ ]
- [ ]

ESCOLHER OS CANAIS DE REUNIÃO E PESQUISA COM OS LEADS:

- [x] LISTA DE E-MAIL
- [x] GRUPO NO WHATSAPP
- [x] CANAL NO TELEGRAM
- [x] LISTA DE E-MAIL
- [x] CANAL NO TELEGRAM
- [x] OUTRO:
- [ ]
- [ ]
- [ ]

Criar a copy da página e o layout, além de definir a hospedagem e configurar o link do carrinho de compras.

ESCOLHER A ISCA DIGITAL PARA CAPTAÇÃO DE LEADS:

- [x] LIVE NO INSTAGRAM
- [x] GRAVAÇÃO DE AULA
- [x] E-BOOK
- [x] MAPA MENTAL
- [x] OUTRO:
- [ ]
- [ ]
- [ ]
- [ ]
- [ ]

Criar textos de e-mail e mensagens para os outros aplicativos (copywriting ou copy) com o objetivo de atrair o público para a "Semana do Desafio" e para os dias de abertura do carrinho.

QUANTIDADE DE LIVES:

- [x] 7
- [x] 3 (ATUALMENTE, A OPÇÃO MAIS
- [ ] POPULAR ENTRE EXPERTS)
- [x] OUTRO:
- [ ]

DICAS PARA TEMA DAS LIVES:

- Mostrar que você entende sobre as dores (problemas) da sua persona.
- Explicar como o seu infoproduto e a sua experiência trazem as soluções desejadas, afirmando a sua autoridade no assunto. Invalidar as objeções criadas pela sua audiência.
- Se já houver prova social – relatos positivos de antigos alunos – chamar um deles para falar sobre as vantagens do produto.
- Reserve ao menos 30 minutos ou 1 hora para esclarecer as dúvidas do público.

TRÁFEGO:

- [x] ORGÂNICO
- [x] PAGO
- [ ]
- [ ]
- [ ]

Se optar por tráfego pago, definir orçamento.

PLATAFORMAS, APLICATIVOS E FERRAMENTAS:

Saiba mais sobre as opções existentes no Capítulo 9 (página 82). Você irá precisar delas para criar e entregar as fases abaixo:

- [x] ISCA DIGITAL
- [x] E-MAIL MARKETING
- [x] CURSO/INFOPRODUTO
- [x] PÁGINA DE VENDAS
- [x] CARRINHO DE COMPRAS
- [ ]
- [ ]

Suporte: Garantir uma pessoa ou equipe para o suporte ao cliente durante a abertura de carrinho e o pós-venda. Pode ser você mesmo ou contar com o auxílio de outra pessoa.

ENTREVISTA COM A ESPECIALISTA: ELLEN SALOMAO (@ELLENSALOMAO)

Conversamos com a empreendedora, especialista em lançamentos digitais, mentora e CEO da Agência Vê, Ellen Salomão. Já são dezenas de lançamentos realizados e um faturamento de múltiplos sete dígitos anuais nos primeiros dois anos de agência! Além disso, como mentora, Ellen auxilia mais de 1.200 alunos a atuarem no mercado digital.

Coleção Marketing Online - Instagran: Ellen, por que você começou a trabalhar com o digital e quais são as suas maiores conquistas nele até hoje?

Ellen Salomao: Eu vim do mercado tradicional. Por 12 anos, tive uma agência de eventos, mas estava muito desestimulada com a área. Foi então que descobri o marketing digital pela internet. Entendi que havia uma grande oportunidade ali e que eu poderia fazer uma transição de carreira. Saí da área de eventos e abri uma agência de lançamentos. Hoje, a minha agência faz estratégia de lançamentos para cursos on-line. Em três anos de agência de lançamentos, tive resultados muito maiores dos que consegui em 12 anos de eventos. Saímos do zero em 2018 e no ano passado faturamos quase 10 milhões! Durante todo o tempo que trabalhei com eventos, o maior faturamento que tive em um ano foi de 2.5 milhões.

CMO: É possível começar nesse mercado com poucos recursos?

ES: Atualmente, temos uma empresa com 35 funcionários, mas quando comecei no digital era uma "eugência". É assim que chamo quando não temos equipe. O digital permite isso. E é possível começar com poucos recursos, mas de maneira profissional. Quando eu e minha irmã começamos, trabalhávamos de casa. Não tínhamos escritório e, basicamente, as nossas ferramentas eram os nossos computadores. Porém, nós já começamos de uma maneira profissional porque o profissionalismo está muito mais na postura, em trabalhar um bom produto, oferecer soluções que realmente valem a pena, em trabalhar com parcerias sólidas etc.

CMO: Legal falar sobre isso, porque algumas pessoas não começam por pensar

Saiba mais sobre como atuar no mercado digital com **Ellen Salomão.**

Ellen Salomao

que precisam investir alto em equipamentos, equipe...

ES: É muito mais sobre execução e fazer do que sobre investir ou comprar ferramentas. Eu trabalho com lançamentos de curso on-line, por exemplo. Então, temos os nossos especialistas, que são como os nossos professores, e eu faço parceria com eles. A partir disso, ajudo com o cronograma do material, auxilio em toda a parte de estruturação do curso e, depois, nós lançamos. Só que quando estávamos no começo, lançávamos especialistas que não tinham autoridade na internet ainda. Foi um início para os dois lados!

CMO: Essa é uma das primeiras dúvidas encontradas pelos co-produtores e experts na hora de fechar um contrato. Por exemplo, divisão de responsabilidades, porcentagens, gastos de cada um... Por onde começar a ter clareza nesse assunto?

ES: Você precisa buscar informações sobre diferentes tipos de modelo de negócios. É sobre ter olhar crítico e entender como as pessoas estão atuando no mercado, porque para cada modelo de negócio eu vou ter um tipo de negociação. No meu caso, por exemplo, como eu sou uma agência, a minha negociação parte de uma porcentagem mais alta. Eu tenho negociações de 60% para agência, às vezes de 70%. Um co-produtor, que vai realizar apenas o lançamento, provavelmente vai ter 30% do negócio. Então, vai variar muito, de acordo com a estrutura que você vai montar para o especialista, o valor que você vai gerar para ele, como você vai trabalhar... Lembrando que não é algo engessado, mas também não pode ficar pulando de galho em galho, sem ter validado nada, porque assim, no final, você não vai ter nenhum resultado.

CMO: Você fala muito sobre criar o próprio modelo de negócio. Como você desenvolveu o seu?

ES: Em nosso mercado, não há regras. Por exemplo, quando comecei, eu tinha certeza de que queria atuar como uma agência. Inclusive, quase não havia agências em 2018, mas, para mim, fazia muito sentido ter uma, ter mais de um especialista. Eu não queria ser co-produtora de um expert! Eu já pensava em construção de marca e de um ativo para mim. Então, hoje, não importa quantos especialistas eu tenha, ou se algum deles não pode continuar com o contrato, eu vou sempre ter a minha empresa.

CMO: Na sua opinião, qual é o maior erro cometido por iniciantes?

ES: Ele envolve a expectativa. Às vezes, a pessoa pensa que vai investir R$ 1 mil e terá R$ 100 mil de retorno. Então, ela não alinha expectativas e fica muito desmotivada quando vende pouco. Eu sempre gosto de comparar com uma franquia. Se eu fosse abrir uma, demoraria três ou quatro anos para começar a ter lucro. Se eu fosse estudar para concurso público, eu passaria dois anos no cursinho para tentar uma vaga legal. Então, tudo na vida é uma construção. Outro erro é copiar fórmulas prontas. É uma maneira de começar quando você não sabe nada sobre o assunto e precisa se basear em algo. Porém, é uma ilusão achar que aquilo é suficiente, que você não vai precisar estudar muito, se especializar muito e trabalhar mais ainda!

CMO: Como você vê o futuro desse mercado, especialmente o de cursos on-line?

ES: Acredito que estamos apenas começando. Foi há uns dois anos que a minha ficha caiu sobre isso! Quem me falou sobre essa questão foi o Alexandre Abramo, executivo da Hotmart. Ele me disse: "Ellen, hoje o mercado pagador dos infoprodutos tem entre 25 a 35 anos. Imagina quando essa geração de adolescentes entrar para o mercado pagador? Quando crianças de 14 anos começarem a trabalhar?". Essas gerações seguintes já nasceram acostumadas a aprender pela internet! Então, a tendência é que elas sempre consumam informação no on-line.

Dez mandamentos do negócio digital

Reunimos os fatores mais apreciados pelos clientes de quem não sai do topo do mercado on-line, especialmente no Instagram. Ficou curioso? Descubra agora!

POR CAROLINA SALOMÃO • IMAGENS: SHUTTERSTOCK

"Não existe concorrência!". Essa é uma das frases mais difundidas por Icaro de Carvalho, copywriter e especialista em marketing digital – tanto que ela se tornou uma das suas marcas registradas e é conhecida por qualquer um dos seus alunos. O jargão faz sentido para quem começa no mercado on-line seguindo à risca os ensinamentos dos experts mais bem-sucedidos da área, ou simplesmente observa como cada um deles realiza os seus próprios lançamentos – o que representa uma aula à parte. Afinal, são diversos relatos de seguidores que chegaram aos seus "5 em 1" (faturamento de cinco dígitos em um dia) ou "6 em 7" (faturamento de seis dígitos em uma semana). As vantagens oferecidas pelos infoprodutos mais conhecidos trazem materiais extras, como e-books, aulas ao vivo com o expert para tirar dúvidas, grupos exclusivos dos alunos para trocas de ideias – e até de vagas de emprego! –, além da possibilidade de acesso vitalício ao conteúdo (geralmente, os cursos on-line garantem o ticket do consumidor por um ou dois anos). Essa prática já tem nome: *over delivery*, que em português significa algo como "entrega extra".

Outras qualidades bastante comuns aos experts do mercado são foco – tanto no projeto como em reconhecer as próprias habilidades – e enfrentamento do medo de sair da teoria e partir para a execução, já que muitos iniciantes pecam ao adiarem essa etapa do processo.

Você também se enxerga nesse problema e quer aprender sobre os outros "mandamentos" do mercado? Siga em frente!

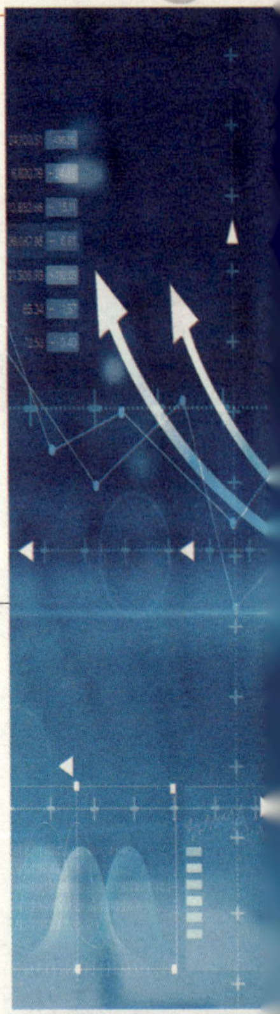

O LANÇAMENTO MAIS POPULAR

1. Comece com o que tiver – e escale com o tempo

Ellen Salomão, especialista em lançamentos digitais e CEO da Agencia Vê, reforça a ideia de que o principal neste mercado é começar a agir e crescer gradualmente, usando o próprio negócio como exemplo. "Como o digital permite que você comece pequeno, você terá mais segurança se acontecer dessa forma. É um pequeno em que você consegue resultados muito rápidos! Mas é importante não confundir com dinheiro fácil. Quando digo rápido é comparando com mercados tradicionais. Eu demorei 12 anos para construir uma agência de eventos e começar a faturar bem. No digital, em dois anos, eu já estava faturando muito mais porque é um mercado que cresce bastante", disse a empreendedora.

TRÊS MANEIRAS PARA COMEÇAR JÁ!

✔Não é necessário ter uma equipe grande. "Eu não preciso contratar dez pessoas para fazer as minhas primeiras vendas, por exemplo. Você tem muito mais segurança contratando e crescendo sua equipe a partir do momento em que você conquista os primeiros resultados", explica Ellen.

✔Você não precisa necessariamente de um escritório físico para estrear no mercado digital. "A grande maioria das empresas são remotas, com equipes espalhadas pelo país e, às vezes, pelo mundo, e que faturam muito bem. Então, também é um modelo de negócios que você pode adaptar para a sua realidade", afirma Ellen.

✔Use e abuse de aplicativos e outras ferramentas gratuitas de edição de fotos, vídeos, planilhas, entre diversos outros (saiba mais no Capítulo 9, página 82).

ESTUDO DE CASO: BRUNO PERINI E MALU PERINI

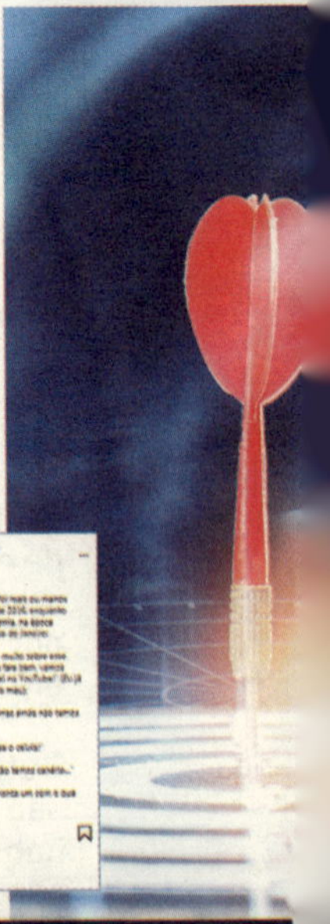

Recentemente, Bruno Perini (@bruno_perini), um dos especialistas mais famosos no nicho de investimentos e criador do curso "Viver de Renda", revelou curiosidades sobre como ele e a sua esposa, Malu Perini (@maluperini), expert no nicho de vida saudável, começaram no mercado digital.
Usando apenas o celular, a própria casa como cenário, tripé improvisado com um pote de whey protein vazio e luzes montadas com papelão, papel alumínio, cano PVC e algumas lâmpadas, o casal deu início ao que se tornaria a empresa da família! "Cinco anos depois, esse primeiro passo para criar um negócio gastando menos de R$ 100 resultou em mais de 552 mil inscritos no meu canal do YouTube, 883 mil seguidores no Instagram, na criação de diversos cursos, inclusive o curso Viver de Renda, na criação do segundo maior podcast de negócios do Brasil e na entrada num grupo empresarial que provavelmente fará um IPO um dia.[...] Portanto, adote uma estrutura onde você tem pouco a perder se as coisas derem errado, e simplesmente comece! Você nunca sabe para onde seu primeiro passo poderá te levar se o projeto der certo!", escreveu Bruno em seu perfil no Instagram.

FOTOS: REPRODUÇÃO/ INSTAGRAM

FRASE INSPIRADORA:
"As pessoas que têm esse pensamento de começar aos poucos e de ir estruturando a partir do momento em que obtêm resultados são aquelas que executam e vão crescendo, porque é algo [o marketing digital] que você vai precisar testar e aprender bastante. É um mercado muito novo" – *Ellen Salomão.*

2. Concentre-se no que você é bom

No mercado digital é muito comum que as pessoas percam o foco dos seus planos iniciais em meio a tantas informações novas, ou por conta do deslumbramento com o mundo do 7 em 1. Por esse motivo, elas acabam procurando oportunidades baseadas apenas no salário ou no faturamento, se esquecendo do principal: a habilidade monetizável que elas já possuem e de como isso traz maiores chances de crescimento. Pronto para recuperar o foco inicial?

TRÊS MANEIRAS PARA COMEÇAR JÁ!

✔Se você está confuso sobre a sua habilidade monetizável ou como se encaixar no mercado digital, um dos métodos utilizados por especialistas no início de suas carreiras foi observar no que as pessoas sempre pediam a ajuda deles ou o que elas sempre elogiavam neles. Receitas? Looks do dia? Investimentos? Carros? Línguas estrangeiras?

✔Outra opção é fazer esses questionamentos diretamente aos familiares e amigos mais próximos. No que eles pensam que você se destaca mais? No que eles acham que você tem bastante facilidade? Seu talento e sua habilidade monetizável podem estar nestas respostas!

✔Se ainda assim você não souber como começar no digital ou não tiver nenhuma pista de qual das suas habilidades podem ser monetizadas, busque ajuda profissional! Existem especialistas voltados para a área de orientação vocacional.

FRASE INSPIRADORA:
"A sua fonte mais escassa é o foco. O mundo irá conspirar para que você se distraia" – *Jeff Walker, em seu perfil no Instagram.*

3. Quanto mais pessoal o perfil for, melhor!

...Ou não. A verdade é que há muitos debates sobre essa questão. "[...] não tem se alertado sobre os perigos de criar um negócio on-line baseado na sua imagem pessoal. Somos seres inconstantes, muitas vezes problemáticos, e passamos por muitas coisas na vida. Ninguém sabe o dia de amanhã. Hoje você pode estar superbem para aparecer, amanhã pode ser que não. Sua empresa não pode depender disso. Sua fonte de renda não pode depender disso", diz Ellen Medeiros, criadora do perfil Branding Lab (@branding.lab), em post na própria página.
O fato é que, quanto mais você compartilha detalhes pessoais e momentos do seu dia a dia – mesmo que nos bastidores do seu trabalho –, maior é a identificação do público com você e a confiança para comprar o seu produto.

ESTUDO DE CASO: MAGAZINE LUIZA (@MEGAZINELUIZA)

Case de sucesso da área, a marca de varejo, criada na década de 1950, resolveu muito bem o problema da maior parte das empresas que gostariam de deixar a marca mais pessoal nas redes sociais, criando a sua própria influenciadora. Totalmente virtual e em 3D, a "Lu do Magalu" se tornou a cara do negócio ao se "comportar" como uma autêntica produtora de conteúdo, respondendo as dúvidas dos seguidores e até reproduzindo os virais do Instagram e TikTok – tudo pensado estrategicamente para enriquecer a marca, é claro.

FRASE INSPIRADORA:
"Pessoas se identificam com pessoas" – *Lara Nesteruk, nutricionista e pioneira no mercado de cursos on-line e no nicho de vida saudável.*

4. Autenticidade

Esse tópico é tão importante que há quem defenda que o real produto seja o próprio expert! Afinal, antes de comprar, as pessoas também escolhem o serviço ou infoproduto com base na personalidade e identificação com o especialista. Mais importante do que isso é sempre manter a honestidade e originalidade do seu conteúdo.

FRASE INSPIRADORA:
"As pessoas que realmente alcançam algo não escolhem o mesmo caminho que todo mundo" – *Jeff Walker, em seu perfil no Instagram.*

5. Conteúdo estratégico e atraente

Não basta postar por postar: é preciso definir um objetivo bastante claro para cada publicação. "Não importa se você é uma empresa ou se vai vender um infoproduto, serviço ou produtos físicos. O que faz com que você aumente a sua conversão é ter conteúdo estratégico que gere valor para as pessoas [...], que engaja e informa. Não vamos pedir para que comprem, porque geramos tanto valor para a pessoa que ela tem essa vontade, se sente confiante e se conecta com a marca", explicou Ellen.

ESTUDO DE CASO: ANNE GALANTE (@ANNEGALANTE)

Entre as experts de Ellen Salomão está Anne Galante, que ensina design em crochê pela internet. Além do curso, ela está à frente de uma loja física que oferece materiais da área, como linhas, agulhas, entre outros. Quando a parceria entre as duas começou, iniciou-se a produção de conteúdo voltado para o lançamento do curso e, consequentemente, a loja também se beneficiou, aumentando as vendas. "Por exemplo, nós estamos ensinando o seguidor a crochetar uma blusa. Porém, essa blusa é feita com um fio específico e que está disponível na loja dela. Então, as pessoas acabam procurando por aquele fio na loja", explica Ellen. E conclui: "é como se fosse um loop infinito. Quanto mais conteúdo estratégico produzimos, mais nós potencializamos as vendas dos produtos físicos da nossa especialista também, e não só as do infoproduto".

FOTOS: REPRODUÇÃO/ INSTAGRAM

6. Construa a sua tribo

Outro ensinamento bastante difundido no universo do marketing digital é a criação do senso de tribo entre os seguidores. Tanto que alguns especialistas chamam o próprio curso de "comunidade", como a "Comunidade do Edu", criado por Eduardo Costa, expert em marketing digital. Porém, não é todo produtor de conteúdo ou empresa que deseja construir esse sentimento de tribo entre os seus admiradores e consumidores. "Esse efeito comunidade pode ser mais ou menos importante de acordo com o modelo. Há negócios que podem se beneficiar, especialmente do boca a boca gerado a partir de uma boa experiência dos clientes. Agora, há empresas que não buscam isso, que querem apenas atender às demandas do cliente sem gerar essa tribo. Vai muito do modelo de negócio e da visão de como a empresa quer se relacionar com seus clientes", revelou Camila Porto, empreendedora e especialista em Facebook Marketing.

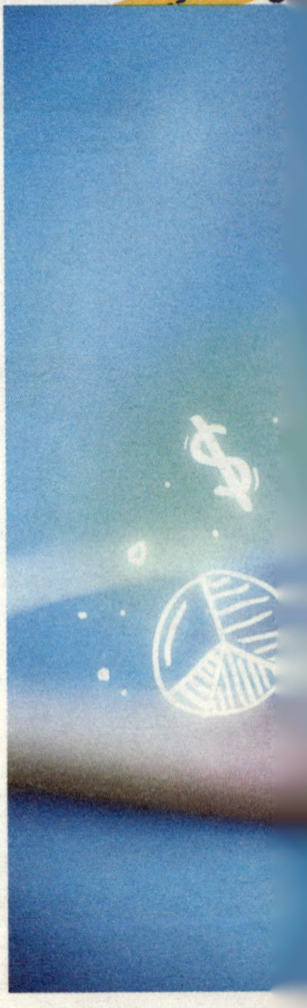

7. Constância

Tenha em mente que o sucesso no digital conta com a regularidade com que você produz conteúdo de valor. No início, a dica é estipular uma meta de publicações por semana – variando entre feed, stories, IGTV e Reels – e se empenhar para manter a constância desse planejamento. "Independentemente de qualquer coisa, não desista! Porque, geralmente, quando você desiste, acaba perdendo muito mais, mas quando você persiste e supera obstáculos, você ganha muito mais!", garante Rafaella Tozelli, expert em marketing digital.

8. Over delivery

Um dos grandes diferenciais do marketing digital, especialmente do mercado de lançamentos, começou com o próprio criador do método, quando Jeff Walker entregava conteúdo de valor e de forma gratuita na newsletter disparada para a sua lista de e-mail. Hoje, os especialistas mais bem-sucedidos da área surpreendem seus consumidores com diversos materiais extras após a compra dos cursos ou de outro infoproduto – às vezes, sem avisar, como uma surpresa! Valem e-books, mapas mentais, planilhas, checklists e até a extensão do tempo de acesso ao curso. No "Viver de Renda" do Bruno Perini, há bônus como o grupo exclusivo de alunos no Facebook, aulas ao vivo toda semana para acompanhar o desempenho da comunidade e condições especiais em eventos presenciais só para alunos.

FRASE INSPIRADORA:
"Puna os seus concorrentes" – *Icaro de Carvalho, em uma de suas frases mais compartilhadas nas redes.*

9. Suporte veloz

Outra característica muito presente nos melhores infoprodutos do universo de lançamentos é a rapidez com que o suporte ao cliente responde e resolve as dúvidas dos consumidores. Essa agilidade também aparece na hora dos cancelamentos da compra, já que por lei cada infoproduto deve oferecer ao menos sete dias de garantia. Sem dores de cabeça, perguntas excessivas ou insistências!

10. Execute!

O mercado digital se atualiza com mais rapidez do que o tradicional, por isso, quanto mais você aprende com a experiência em campo, mais você estará preparado para realizar as mudanças necessárias e, assim, continuar com o crescimento do seu negócio. Para Ellen Salomão, o perigo está justamente em ficar preso na teoria. "Se eu quero abrir uma padaria, por exemplo, não vou estudar por cinco anos. Eu vou lá e alugo o espaço, faço as coisas acontecerem. No nosso mercado, as pessoas perdem anos estudando. Às vezes, elas gastam muito dinheiro com isso porque há diversas promessas de 'fique milionário' e elas pensam que essa promessa será a responsável por gerar resultados para ela. A base do meu método, por exemplo, é a dos processos, a da execução, é colocar a mão na massa. O meu sucesso de hoje é porque eu fui lá e fiz", afirma a empreendedora.

Mitos & verdades

Quanto mais recente for um método de sucesso, mais controvérsias ele irá gerar. Não poderia ser diferente com o marketing digital e, principalmente, com o mercado de lançamentos. Confira as perguntas mais polêmicas da área – e o que os especialistas pensam sobre cada uma delas.

POR CAROLINA SALOMÃO • IMAGENS: SHUTTERSTOCK

Se você descobriu esse mundo há pouco tempo, já deve ter se perguntado: "Será que encontro espaço agora?", "Será que a minha área está saturada na internet?" ou "Como vou saber o momento certo de fazer o primeiro lançamento?". A verdade é que todo especialista dos meios digitais já passou por dúvidas como essas – e ainda enfrenta diversas questões durante novas campanhas. Afinal, não podemos nos esquecer de que o mercado é bastante jovem: foi na década de 1990 que estreamos o contato com a internet e, com ela, sentimos o início da globalização em nossa sociedade.

Foi neste ponto também que os primeiros blogs, buscadores e sites de notícias com cadastro para contas de e-mail surgiram. E não demorou muito para que os "gurus" do marketing da época enxergassem as oportunidades de vendas para o segmento, já que a definição da atividade é justamente um "conjunto de instituições e processos para criar, comunicar, entregar e trocar ofertas que tenham valor para os clientes, parceiros e sociedade em geral", segundo Associação Americana de Marketing (AMA) e tradução do site de Neil Patel. Assim, os experts pensaram em técnicas específicas para o digital, como as de SEO, além de links patrocinados e a própria produção de conteúdo, que mudaria para sempre.

Hoje, 30 anos depois, a evolução acelerada do mercado nos trouxe para os obstáculos carregados pelas perguntas do início deste texto. A boa notícia é que muitos deles não passam de mitos! Descubra, com a consultoria de especialistas do marketing e das redes sociais, o que de fato irá impactar na sua trajetória.

O MERCADO DO MARKETING DIGITAL JÁ ESTÁ SATURADO?

MITO!

"Eu não acho, nem um pouco! Na verdade, está apenas começando [...]Primeiramente, não são todos os brasileiros que têm acesso a uma internet de qualidade ou até mesmo acesso à internet. Segundo, fora da bolha em que vivemos no Instagram, poucas pessoas sabem o que realmente significa marketing digital. Se você for a um shopping e perguntar para as pessoas, por exemplo, quem eu sou ou quem é o Icaro de Carvalho, um gigante do mercado, poucas pessoas vão responder. Outro exemplo é que elas não sabem a diferença entre a conta pessoal e a conta profissional no Instagram. **Então, é um mercado que ainda tem muito a crescer!"** – *Bruno Papi.*

ESSE MERCADO TENDE A FICAR MAIS COMPETITIVO?

VERDADE!

"Nós estamos apenas no começo, mas, em contrapartida, o mercado vai exigir cada vez mais profissionalização. Antes, o que tínhamos de infoprodutos, como pessoas gravando no quarto com uma câmera qualquer e um áudio mais ou menos, daqui a alguns anos vai mudar: o mercado vai pedir materiais profissionais. Aulas bem gravadas, conteúdo programático e material de apoio excelente. **Então, existe essa oportunidade para quem quer entrar agora em um mercado que ainda não exige tanto profissionalismo, mas no qual você já consegue começar de uma maneira legal.** Assim, você vai evoluindo com o mercado. Foi basicamente o que nós fizemos. Esse meio ainda vai crescer bastante e movimentar muito dinheiro, mas vai ficar cada vez mais exigente" – *Ellen Salomão.*

PRECISO FAZER TRÁFEGO PAGO PARA REALIZAR UM LANÇAMENTO?

MITO!

"O tráfego realmente ajuda. Ele auxilia a chegar a pessoas que você não alcançaria organicamente. Porém, penso que, sem ele, você já consegue ir muito longe, se criar conteúdo com base no seu funil de vendas" – *Aline Marchiori.*

USAR AS FERRAMENTAS DO INSTAGRAM AUMENTA O ALCANCE DA CONTA?

VERDADE!

"Depois de um tempo, eu aprendi que nós não podemos recuar na internet. Tudo o que é lançado, nós precisamos usar [...] **As tendências comandam a produção de conteúdo. Então, se você não utiliza tudo o que o Instagram oferece, você fica para trás.** Seja pelo alcance ou pelo formato, que se torna ultrapassado. Por isso, tento aprender o mais rápido possível porque eu sei que isso vai ser bom para o projeto de uma maneira geral. Nem sempre nós queremos mudar ou usar algo novo, mas acho muito importante" – *Carol Mendonça.*

PRECISO APARECER PARA CONSEGUIR VENCER NO DIGITAL?

VERDADE!

"Você precisa aparecer com frequência e envolver as pessoas no que você está fazendo. De preferência, todos os dias, porque **quem não é visto, não é lembrado.** O que tento fazer bastante é não mostrar apenas o resultado do serviço, mas todo o processo por trás. Eu gravo quando vou comprar os organizadores e o carro aparece lotado deles, ou quando não dá certo e preciso trocar tudo. Exponho todos os bastidores para a pessoa ver que não é um processo simples. Existe todo um passo a passo e eu acho que isso agrega valor ao seu produto ou serviço" – *Layla Pandolpho.*

EXISTE ALGUM NICHO QUE JÁ ESTEJA SATURADO?

MITO!

"Tem mercado para muitas pessoas, porque quando alguém consome o seu produto na internet, não consome o seu conteúdo... O que vou dizer agora vale ouro: **O seu cliente não consome o seu conteúdo, ele consome você e a sua personalidade!** Muitas pessoas podem estudar o mesmo assunto que eu e saber exatamente o que sei, só que cada um vai passar o conhecimento de uma forma. Cada um vai se comunicar de uma maneira. E é isso que a pessoa vai comprar, a sua didática e a sua forma de se expressar" – *Bruno Papi.*

PRECISO SEPARAR O PERFIL PESSOAL DO PROFISSIONAL

MITO E VERDADE!

"Não existe uma unanimidade. Se você perguntar para diversas pessoas, você terá muitas opiniões diferentes. **Porém, eu prefiro que o perfil seja profissional. Isso não significa que ele não vai mostrar facetas da vida pessoal do especialista. Então, é importante que o especialista também compartilhe a vida pessoal.** Há algumas exceções. Por exemplo, se eu estiver no nicho de coaching, performance pessoal ou produtividade, esse lado mais dia a dia do expert é um perfil totalmente pessoal, mas trabalhado profissionalmente. Penso que é importante primeiramente entender o seu nicho. Existem nichos em que você precisa mostrar muito mais da sua vida pessoal, mas outros que não apresentam essa necessidade. Esses são muito mais sobre os bastidores do profissional" – *Ellen Salomão.*

USAR HASHTAGS SEM ESTUDÁ-LAS PODE ACABAR COM O MEU PERFIL?

VERDADE!

"Se você não souber usar as hashtags, você pode acabar entrando no shadowban do Instagram. Isso irá reduzir o seu alcance, porque o shadowban é quando a plataforma bane o seu perfil. **Então, não é só jogar um monte de hashtags na publicação para fazer com que o seu conteúdo alcance um monte de gente. Você precisa estudar esse assunto direito.** Eu não uso hashtags, por exemplo, porque eu não vejo muita diferença [no alcance] e ainda existe esse risco de cair no banimento da rede" – *Aline Marchiori.*

A PANDEMIA CAUSADA PELA COVID-19 ACELEROU ANOS DO PERCURSO DESSE MERCADO?

VERDADE!

"Essa pandemia potencializou tudo isso! Muitas pessoas foram obrigadas a olhar para a internet. **A pandemia deu uma acelerada de, talvez, uma década!** Muitas pessoas que estavam relutando viram que a única forma de sobreviver à crise era começar a aparecer no digital" – *Bruno Papi.*

EXISTE UM NÚMERO MÍNIMO DE LEADS PARA FAZER O PRIMEIRO LANÇAMENTO?

VERDADE!

"Existe uma convenção do mercado que o número mínimo de leads é de 300. Então, se você tiver 300 leads, todo mundo entende que já existe uma possibilidade de vender. Não é uma regra, mas gosto desse número porque nunca ninguém vai estar preparado para o primeiro lançamento. Então, quando coloca um número para lançar, mesmo que o seu projeto seja pequeno, você já deu o primeiro passo. É como se fosse uma permissão para começar. Eu só acredito que não pode ficar parado, o melhor momento de lançar é ontem!" – *Ellen Salomão.*

NO INÍCIO, DEVO ENTREGAR TODOS OS INFOPRODUTOS GRATUITAMENTE?

MITO!

"Primeiro, eu tentei oferecer o meu curso de graça, porque nós sempre temos aquela insegurança do começo: 'Será que as pessoas vão pagar? Será que eu sou bom o bastante? Há tantos especialistas por aí!'. Porém, ninguém se interessou. **Depois, comecei a entender que as pessoas tinham um certo receio pelo que era de graça.** Talvez, na cabeça delas, não tivesse qualidade ou a minha insegurança havia passado para elas. Assim, eu fiz um curso chamado Criando Futuro e vendi pelo Facebook, apenas para os meus amigos. Na época, eu não deveria ter mais de mil contatos, mas fiz 37 vendas!" – *Bruno Papi.*

PRECISO APARECER PARA CONSEGUIR VENCER NO DIGITAL?

MITO!

"Existe esse mito de que você vai ficar milionário rápido. As pessoas só enxergam que a minha agência faturou dez milhões de reais em alguns anos, mas nós temos equipe, investimento e conhecimento. São meses e meses de maturidade. Como esses aspectos fazem parte do meu conteúdo e do meu posicionamento, eu atraio alunos que também se conectam com eles. Então, você não vai ficar milionário de um dia para o outro. [...] Construa algo de uma maneira sólida. Por exemplo, há muitas pessoas no mercado faturando milhões sem emitir nota fiscal! Sonegando impostos, você vai perder tudo daqui a pouco. Tem de ser honesto e ter profissionalismo" – *Ellen Salomão.*

É POSSÍVEL AVANÇAR MAIS RÁPIDO FAZENDO CURSOS DE ESPECIALISTAS?

VERDADE!

"As pessoas acham que vão economizar excluindo um curso de, talvez, R$ 1 mil. Então, elas gastam seis meses em busca de conteúdo pulverizado na internet, no YouTube ou baixando e-books. **Porém, elas não colocam em prática, sendo que elas poderiam comprar o curso que já é validado e contém a direção correta para elas começarem a aplicar.** Assim, nesses seis meses, as pessoas já teriam recuperado esse dinheiro. Você busca uma economia financeira que, na verdade, é uma ilusão. Você perdeu uma coisa que é muito mais valiosa: o tempo" – *Bruno Papi.*

É POSSÍVEL ENCONTRAR O SEU PRODUTO PERGUNTANDO PARA O PÚBLICO

VERDADE

"Se você já tem uma audiência que engaja com o seu perfil, entre nos stories e pergunte 'como posso ajudar vocês?' ou 'do que vocês mais gostam aqui?'. Depois que você tiver uma base legal de respostas, acho que o segundo passo é pesquisar na internet e ver se aquele produto tem saídas. Você pode acessar grandes portais, como a Hotmart ou o Eduzz, e confirmar se já existem materiais com a mesma pegada. É como se fosse abrir uma loja. Você precisa estudar, decidir o lugar do seu ponto, se há pessoas passando pela região e se elas têm interesse naquele negócio. **Então, é conversar com a sua audiência e conhecer a sua persona, porque ela vai te auxiliar"** – *Aline Marchiori*

MUITOS PERFIS DE DESTAQUE NO MERCADO CRESCERAM USANDO A AUDIÊNCIA DE PLAYERS MAIORES

VERDADE!

"Eu também cresci desse jeito. Você produz conteúdo e se aproveita da audiência que outra pessoa criou. Então, para quem está começando e ainda não tem audiência, é muito mais fácil **entrar na audiência de alguém e começar a servir essas pessoas, do que criar a sua audiência do zero e depois ofertar um produto.** Eu escolheria três grupos grandes e ativos do seu nicho para produzir dentro dele. Onde estão esses grupos? No Facebook, nos fóruns de internet e no WhatsApp. Muitas pessoas se esquecem dele, mas todos estão lá 24 horas. Eu cresci muito em grupos de WhatsApp! Existia um no qual eu participava com 250 pessoas e eu fiz 100 vendas dentro desse grupo!" – *Bruno Papi.*

POSSO PRODUZIR CONTEÚDO APENAS NO MEU TEMPO LIVRE?

MITO!

"Algumas pessoas que estão iniciando ainda veem essa questão do Instagram como 'ah, no momento que eu tiver tempo livre, eu faço', mas, às vezes, ela nunca faz. **Sendo que não é no seu momento livre, é no momento do trabalho.** Quando eu posto foto no feed, faço stories e respondo os directs, estou trabalhando. Se o pequeno empreendedor quer ganhar dinheiro divulgando aquele serviço ou produto, ele precisa pensar nisso como trabalho, como parte do marketing dele, da atração dos clientes. Vejo muitas pessoas que ainda não dão essa importância às redes sociais, sendo que elas poderiam estar vendendo muito mais" – *Layla Pandolpho.*

EMPREENDER É UM JOGO DE RISCOS?

MITO!

"Quando eu era mais novo, escutava 'olha, está abrindo um concurso'. **Nós sempre buscamos a estabilidade, nunca o empreendedorismo, porque ele é visto como uma aposta, como se fosse um cassino!** No entanto, eu vejo que o empreendedorismo e até o marketing digital são mais seguros do que um emprego. Pois a responsabilidade de fazer o negócio dar certo é inteiramente sua. No emprego, você pode se esforçar ao máximo, mas não ser mais necessário para a empresa quando ocorrer uma crise. Ou seja, você deixa o seu destino, o da sua família e o do seu financeiro nas mãos de terceiros. No empreendedorismo, o destino fica totalmente nas suas mãos. Então, para mim, ele é um caminho mais seguro" – *Bruno Papi.*

CONHEÇA OS ESPECIALISTAS:

LAYLA PANDOLPHO (@LAYLAPANDOLPHO)

Layla é formada em Psicologia e atuou na área de Recursos Humanos por mais de dez anos. Porém, desde 2018, ela é personal organizer e produtora de conteúdo do seu nicho, reunindo mais de 43 mil seguidores em seu perfil no Instagram.

FOTOS: REPRODUÇÃO/ INSTAGRAM

FOTOS: ARQUIVO PESSOAL

BRUNO PAPI (@OBRUNOPAPI)

Fundador do curso *Criando Futuro*, educador financeiro e investidor, Bruno já ensinou mais de cinco mil alunos a sair das dívidas e a fazer mais dinheiro para realizar seus sonhos.

CAROL MENDONÇA (@PROFESSORACAROLMENDONCA)

Carol é professora de Língua Portuguesa há mais de dez anos e há cinco anos fundou o projeto "Português Para Desesperados", que busca a popularização do ensino do idioma por meio das redes sociais. Atualmente, Carol tem um curso on-line focado em português para concursos públicos.

FOTOS: REPRODUÇÃO/ INSTAGRAM

FOTOS: ARQUIVO PESSOAL

ELLEN SALOMÃO (@ELLENSALOMAO_)

Empreendedora, especialista em lançamentos digitais, CEO da *Agência Vê* e mentora, Ellen Salomão já auxiliou mais de 1200 alunos a atuarem no mercado digital.

Aline Marchiori dá dicas de sucesso.

ALINE MARCHIORI (@ALINEMARCHIORI)

Jornalista, beauty editor da *Beauty Box*, fundadora da @a.marfashion e produtora de conteúdo, Aline já reúne mais de 15 mil seguidores em seu perfil no Instagram.

FOTOS: REPRODUÇÃO/ INSTAGRAM

Os aliados do especialista

Confira um dicionário voltado especialmente para a linguagem do marketing digital, além de uma lista com os aplicativos essenciais para gerenciar um perfil profissional. Use sem moderação!

POR CAROLINA SALOMÃO • IMAGENS: SHUTTERSTOCK

Termos em inglês, siglas atrás de siglas, nomes que não fazem sentido fora do contexto. Esses podem ser os primeiros obstáculos da entrada no marketing digital. O fato de o segmento ter as suas raízes em terras estrangeiras, mais especificamente os Estados Unidos, certamente não ajuda os alunos de outras partes do mundo. No entanto, nós garantimos: é mais simples do que parece! Afinal, o primeiro passo já foi dado ao estudar esse guia. Com a familiarização das palavras, a próxima etapa é memorizá-las pouco a pouco, conforme elas aparecerem em seu campo de estudo e trabalho.

Pensando nisso, criamos uma lista especialmente voltada para a linguagem deste universo. Além de enriquecer o seu vocabulário profissional, é possível retornar a este dicionário quando o termo aparecer em algum conteúdo de Instagram, curso on-line ou outro local da internet, e o significado fugir da mente. Outro facilitador é o conjunto de aplicativos mais utilizados pelos especialistas da área, sendo a maioria gratuita! Com a proposta de ganhar tempo e organizar as tarefas do dia a dia da forma mais prática possível, que tal unir esses apps às agendas físicas? Hoje em dia, há muitas opções de aplicativos com essa proposta, principalmente quando o assunto é mercado digital. Além da economia no orçamento, tais ferramentas têm um bônus: podem ser acessadas tanto pelo computador quanto pelo celular, trazendo mais eficiência para você e para a sua equipe. E não há apenas apps de agendas e tabelas: ainda existem os que auxiliam nas áreas de design gráfico, construção de páginas na web, e-mail marketing, entre outros. Confira a seguir algumas sugestões que separamos para você!

Dicionário

Ficou em dúvida sobre algum termo ou sigla do marketing digital? Procure o significado que deseja em nossa busca rápida no glossário a seguir:

- **BIG IDEA:** é a ideia base para a campanha de determinado produto. Tal ideia precisa seguir alguns pontos, por exemplo: promessa, exclusividade, atratividade, especificidade, foco nas emoções e que seja de fácil entendimento.

- **CONVERSÃO:** é a métrica em que os leads completam uma ação – como a compra – e que esta possa ser medida para avaliação.

- **CPL:** sigla para "custo por lead". É o valor pago por campanha para cada lead.

- **CRIATIVO:** são as ideias que compõem o anúncio ou post, tanto em relação ao design quanto à comunicação.

- **CTA:** sigla para "call to action" em inglês, que significa propor uma tarefa ou desafio aos seguidores com a finalidade de reverter em vendas.

- **DEBRIEFING:** após a conclusão de uma campanha e/ou lançamento, o debriefing é realizado para analisar expectativas com os resultados obtidos.

- **DOWNSELL:** é uma contraproposta oferecendo um produto de valor menor, quando o consumidor declina o produto inicial por conta do preço.

- **FUNIL DE VENDAS:** é um conjunto de etapas – topo, meio, fundo – para medir o quanto seus leads estão próximos de fechar negócio. Para cada fase, há um tipo de conteúdo e linguagem específicos.

- **KPI:** sigla para Key Perfomance Indicator (principais indicadores de desempenho, em tradução livre para português). São indicadores mensuráveis do negócio e dos processos envolvidos.

- **LANDING PAGE:** também chamada de "página de conversão", é uma página na web criada exclusivamente para uma oferta – desde materiais gratuitos para captação de leads até as vendas de infoprodutos.

- **LEAD:** potencial consumidor que informou dados de nome e e-mail ao baixar algum material gratuito.

- **NO BRAINER:** é a disponibilização de grande parte do conteúdo de cursos gratuitamente.

- **NUGGETS:** geralmente apresentados em vídeos, os nuggets são trechos curtos retirados de aulas para serem publicados nas redes sociais, em especial no Instagram, para trabalhar com gatilhos mentais.

- **OBJEÇÃO:** similar a um roadblock (estrada bloqueada, em tradução livre para o português), a objeção é algo que se torna um empecilho para a compra ser concluída.

- **PERSONA:** é um personagem criado a partir de dados e comportamentos que representem o público-alvo.

- **PITCH DE VENDAS:** é um discurso curto feito com o intuito de fazer os potenciais consumidores se interessarem pelo produto.

- **PL:** sigla para "pré-lançamento", momento em que o produto ou serviço é anunciado aos seguidores.

- **PPL:** é o período após fechar o carrinho de um lançamento, no qual o produto entra em "pré pré-lançamento".

- **RECORRÊNCIA:** todo produto ou serviço oferecido de forma contínua ao consumidor.

- **REMARKETING:** outra estratégia para alavancar as vendas, através do Google Ads, que por sua vez mostra o anúncio para o potencial consumidor que demonstrou interesse no produto.

- **ROI:** sigla para Return On Investment (retorno sobre o investimento, em tradução livre para o português).

- **SEO:** sigla para Search Engine Optimization (otimização para mecanismos de busca, em tradução livre para o português). É um conjunto de estratégias para colocar a página do site ou produto em destaque na página de busca do navegador.

Aplicativos

CALENDÁRIOS E AGENDAS

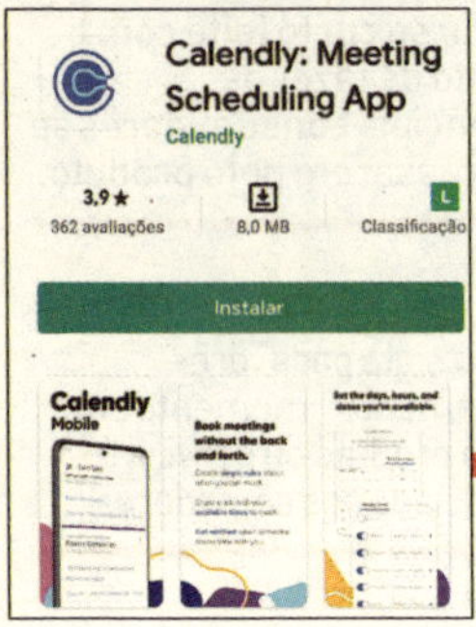

CALENDLY

Se comparado aos outros aplicativos, este é um pouco mais complicado para fazer o login, que pode ser realizado por meio da conta do Outlook, direcionando os e-mails de reuniões e eventos para a marcação do calendário. O app também cria uma página exclusiva para poder acessar pelo computador e copiar o link pessoal ou de eventos para compartilhamento. O diferencial deste aplicativo é selecionar os horários do expediente e deixar a experiência do cliente ainda mais única.
Disponível na AppStore e na Google Play Store - Gratuito

GOOGLE AGENDA

Permite selecionar suas contas do Gmail – como uma conta de e-mail pessoal e outra profissional – para ter todos os compromissos no mesmo lugar. O app conta com sugestão para divisões em temas, como eventos, tarefas e lembretes. O formato de agenda também é muito prático, podendo ser alterado para diário, três dias, semanal ou mensal.
Disponível na AppStore e na Google Play Store - Gratuito

TRELLO

Outro queridinho dos experts do marketing digital! O template desta ferramenta é clean e disposto de colunas e cards que podem ser arrastados para outras colunas de acordo com a prioridade do usuário, designando quem será o responsável por cada tarefa. Muitas pessoas que já estão familiarizadas com o Kanbane Lean Management vão se adaptar muito bem ao Trello, pois é ótimo para gerenciamento de projetos.
Disponível na AppStore e na Google Play Store - Gratuito

FERRAMENTAS PARA BAIXAR ÍCONES

FLATICON

A própria página já diz: a maior plataforma de ícones gratuitos! Conta com 64 opções de formato (PNG, SVG, PSD, entre outros). A busca pode ser realizada por packs ou selecionar os packs mais utilizados recentemente. - Gratuito

ICONS8

Além de ícones, também permite o download de ilustrações, fotos, músicas e ferramentas de design.
Disponível para Windows e MacIntosh - Gratuito

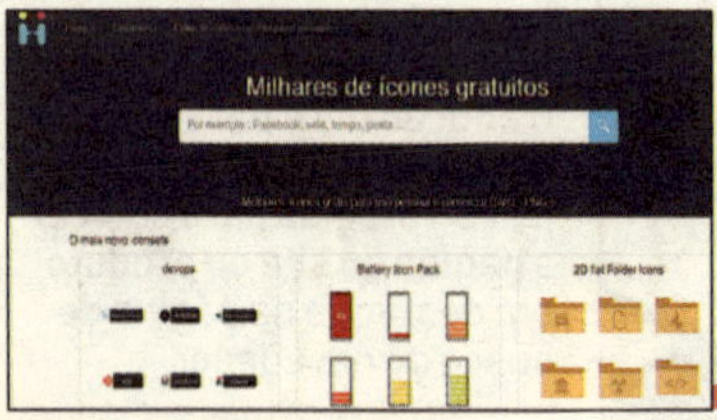

ICON-ICONS

Ícones voltados para páginas pessoais e comerciais. Segundo a página inicial, os formatos disponíveis são SVG e PNG. - Gratuito

CRIAÇÃO DE CONTEÚDO WEB

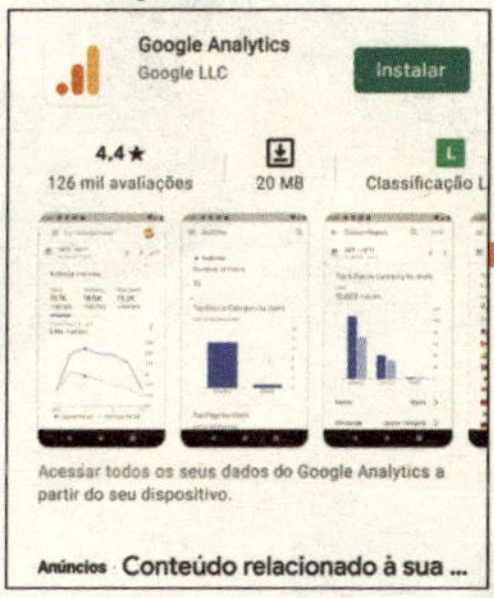

GOOGLE ANALYTICS

Mais uma ferramenta cortesia do Google. A proposta aqui é monitorar o tráfego do seu site e identificar seu público-alvo, apurando estratégias futuras para seu negócio. - Gratuito (mas também há versão paga)

GOOGLE SITES

Outra ferramenta extremamente útil e simples de usar por ser bastante intuitiva. A criação de sites é possível em diversos formatos. Além disso, há opções complementares para documentar, fazer planilhas e apresentações. Lembrando que o site em si pode ser feito gratuitamente, porém o domínio é pago. - Gratuito

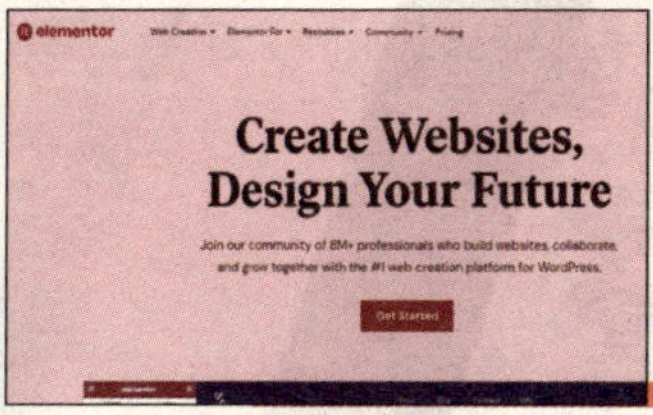

ELEMENTOR

O Elementor é uma plataforma para criação de páginas web profissionais, voltadas para o WordPress. A plataforma de edição é bastante intuitiva (opção 'drag&drop') e muito simples mesmo para iniciantes na programação. O lado negativo da ferramenta é para SEO, pois os códigos acabam se estendendo e, por vezes, a página demora um pouco mais para carregar. - Gratuito

REGISTRO.BR

Depois de ter preparado o visual do site, ter criado posts-carrossel e enviado e-mail para garantir o sucesso do lançamento, chega o momento de registrar o seu domínio. É muito simples de verificar se o site já existe ou se ainda está disponível, e basta selecionar o plano que mais atende suas demandas. - Pago

RD STATION

Voltada para empresas chamadas B2B (empresa para empresa, em tradução livre), ou seja, empresas que possuem outras empresas como clientes. O principal diferencial é ser uma ferramenta de automação que reúne todos os âmbitos necessários para a área de marketing digital. - Pago

MAILCHIMP

Como o nome diz, o envio de e-mails em forma de disparo nunca mais será o mesmo. Essa ferramenta de automação já está no mercado desde 2001 e permite o envio de e-mails voltados para campanhas de marketing em apenas 20 minutos. - Gratuito (mas também há versão paga)

WORDPRESS

Um software CMS (Sistema de Gerenciamento de Conteúdo, em tradução livre para o português), usado para administração de páginas web e marketplace, traz conteúdo open-source para gestão do sistema PHP e permite ser pareado com banco de dados. É uma ótima ferramenta para trilhar os primeiros passos no campo da programação. - Gratuito

Visual que engaja

Será que uma imagem realmente vale mais do que mil palavras? Nesse capítulo, você irá descobrir por que a frase do filósofo chinês Confúcio continua a fazer sentido nos dias de hoje e, em especial, no universo do Instagram!

POR CAROLINA SALOMÃO • IMAGENS: SHUTTERSTOCK

Antes de qualquer definição, o Instagram era um aplicativo voltado exclusivamente para fotografias. Hoje, o app conquistou a posição de marca bem consolidada entre as grandes ao unir a produção de imagens ao mundo dos negócios. Esse casamento entre marketing e uma ferramenta tão visual tem explicações de diversas áreas da ciência.

Uma delas veio do estudo The Power Of Visual Communication (O Poder da Comunicação Visual, em tradução livre para o português), publicado pela multinacional de tecnologia da informação Hewlett-Packard (HP), em que 80% dos entrevistados mostraram reter mais informações do que elas veem e fazem, 20% do que elas leem e apenas 10% do que elas escutam. A análise continua ao entregar a ordem crescente dos conteúdos mais aptos a permanecerem na memória do usuário: puramente verbal (oral); verbal, mas escrito; palavra escrita, mas tratada de forma visual (balões, cores etc.); material escrito, mas transformado em visual (gráficos, infográficos etc.); e, no topo, conteúdos puramente visuais.

Mais uma boa notícia para quem trabalha com imagens e Instagram? Você não precisa de uma estrutura complicada, cara e grande como as dos programas de televisão, rádio e jornais. Na verdade, é possível criar o seu estúdio no próprio quarto, graças às ferramentas da própria plataforma e novas tecnologias que descomplicaram todo esse processo. E não acaba por aqui: para a edição das fotos e vídeos, existem aplicativos cheios de alternativas, alguns já bastante famosos no meio, sem custo extra algum. Saiba quais são eles e como começar a profissionalizar o seu trabalho em casa!

Estúdio caseiro

Se antes da pandemia os usuários do Instagram já estavam craques no assunto, imagina agora? Após o período de quarentena e a impossibilidade de contar com estúdios fotográficos profissionais, o jeito foi se arranjar com os equipamentos mais práticos do mercado e contar com (muita!) criatividade. Não fique para trás e aprenda os pontos mais importantes para transformar a sua própria casa em estúdio!

CENÁRIO E FUNDO

Seja em seu escritório, na sala de estar, no quarto ou até na cozinha, é importante que o espaço esteja sempre organizado, atrativo e represente a sua personalidade. Além disso, é ele que vai ditar todos os outros tópicos. Se você decidir por um lugar com bastante iluminação natural, por exemplo, talvez nem precise comprar equipamentos de luz. Porém, se você não quiser nenhuma incidência de luz externa para evitar a interferência de pigmentos diferentes nas imagens ou quiser ter a opção de manipular a iluminação, é aconselhável procurar por um espaço mais fechado. Já a dica geral é escolher um ambiente silencioso (para o caso dos vídeos) e amplo (ao menos de 10 a 15 m^2). Assim, você terá liberdade para movimentar os equipamentos e móveis.
Outro ponto importante é montar uma espécie de fundo infinito *(backdrop)*, de único tom, com o objetivo de padronizar as imagens e facilitar as modificações delas nos softwares de tratamento quando necessário. Uma solução econômica e bastante simples é cobrir a parede com um tecido branco de TNT. Até marcas e *influencers* já consolidados na plataforma utilizam esse recurso! Outra questão relevante é o enquadramento: faça testes em diferentes lugares, ângulos e fundos, até encontrar o espaço mais satisfatório para você.

ILUMINAÇÃO

Muitos fotógrafos profissionais e personalidades acostumadas com o trabalho no Instagram afirmam que a melhor luz é a natural – a famosa "luz boa" dos *influencers*. Porém, ela traz pontos negativos: a impossibilidade de modificá-la como desejar e a mudança de intensidade com o passar do dia.
Pensando nisso, muitos deles começaram a apostar em kits completos de *ring light* (anel de luz, em tradução livre para o português), com tripé longo e opções de luz fria (branca) e luz quente (amarela), para mais possibilidades de fotos e gravações. No entanto, há quem não tenha se acostumado com o queridinho das blogueiras por preferir uma luz mais difusa. A solução encontrada foi a lâmpada de jardim ou *china balls*! Econômicas e fáceis de serem encontradas, elas ainda trazem a vantagem da troca de lâmpadas de forma simples. Para a montagem, basta comprar as opções de luz desejadas, um soquete, uma extensão e um tripé ou outro instrumento para apoiar as *chinaballs*.

TRIPÉ

Cliques e vídeos tremidos, tortos ou fora de foco são imperdoáveis nesse meio – e facilmente solucionados! Basta providenciar um tripé para o posicionamento ideal da câmera ou celular. A dica é escolher um que permita gravar vídeos ou tirar fotos verticais, pensando nos stories e no IGTV, além de ter cabeça hidráulica, possibilitando movimentos mais suaves na hora de mudar o enquadramento da cena.

FIGURINO, ACESSÓRIOS E PENTEADO

Brinque com o contraste entre figurino e fundo. Por exemplo, se você estiver em um ambiente branco, a escolha de uma blusa na mesma cor fará com que você se apague ligeiramente no vídeo ou foto. Já para ensaios fotográficos profissionais ou gravações de cursos, aposte em figurinos neutros, acessórios pequenos e penteados atemporais. A ideia é que o material possa ser utilizado a longo prazo e não se torne datado por escolhas baseadas nas tendências do momento. Claro, tudo isso sem deixar a sua personalidade de lado! Se você sempre aparece com o cabelo, unhas ou acessórios coloridos, por exemplo, será estranho optar pelo neutro nesses quesitos, já que a sua audiência está acostumada a ver você assim.

STILLS

Se você vende mercadorias pela internet e usa o Instagram para divulgá-los, aposte na produção de *stills* – fotos de produtos soltos. Basta usar cartolinas nas cores desejadas – as mais comuns são branca e preta – prendendo-as em um pedaço de parede e estendendo-as até uma mesa, sem deixar que dobre. Depois, em frente ao objeto, deixe uma luz à direita e outra à esquerda, de maneira que as lâmpadas não apareçam na foto. Tenha cuidado também para não fazer sombras e, se isso acontecer, a dica é mudar a posição das luzes.

Ilha de edição gratuita

Depois de conseguir tirar as fotos e gravar todos os vídeos do cronograma em seu estúdio particular... Como melhorá-los? Apesar de os smartphones terem evoluído com o tempo – você se lembra de como as fotos eram bastante "pixeladas" há alguns anos? –, todo mundo quer saber como os influenciadores do Instagram e fotógrafos profissionais conseguem cliques e gravações ainda mais impressionantes! O segredo? Os aplicativos de tratamento de imagem! Além de muitos serem gratuitos, ainda há alternativas famosas que funcionam nos sistemas iOS e Android. Basta escolher um dos softwares de edição na loja de apps do seu celular (Google Play ou AppStore) e baixar. Para facilitar ainda mais, reunimos os mais populares das categorias de foto, vídeo e GIFs. Confira!

ADOBE PHOTOSHOP LIGHTROOM (ANDROID E IOS)

Versão mais simples do que o Photoshop, o app é ainda mais interessante para iniciantes. Entre as principais funções estão os ajustes de luz, contraste, cor e textura, cortes, redimensionamento e aplicação de vários filtros.

CANVA (ANDROID E IOS)

Ele é o queridinho dos produtores de conteúdo! Fácil de usar, o app oferece inúmeras alternativas de criativos prontos, além de ferramentas intuitivas para quem deseja criar o design do zero – tudo em português!
Um dos maiores trunfos do recurso é o tamanho para cada funcionalidade (Instagram stories, feed, capa do Facebook etc.), excluindo a necessidade de ajustar o formato em outro aplicativo (como o Photoshop). Aqui, você também encontra opções de logos, *banners*, pôsteres, currículos, cartões, entre tantas outras. Para a experiência ficar ainda mais completa, é possível adquirir o Canva Pro (pago), desbloqueando as melhores imagens, ícones, fontes, o popular removedor de fundos e até o kit marca, em que você encontra paletas de cores e conjunto de fontes pré-selecionados.

INSHOT (ANDROID E IOS)

Outro app fácil de ser usado! Além de servir tanto para a edição profissional de fotos quanto para a de vídeos, ele é famoso pelas transições entre um clipe e outro. Também é possível recortar vídeos, desfocar o fundo, adicionar músicas, textos, adesivos, filtros, emoji, entre outras funções.

PINTEREST (ANDROID E IOS)

O app está mais para rede social do que ferramenta de edição, mas é uma ótima maneira de iniciar o projeto, já que ele traz diversas referências para se inspirar. Com formato de mural, ainda é possível organizar as imagens por temas e festividades!

LIKEE OU LIKEVIDEO (ANDROID E IOS)

O aplicativo para criação de vídeos – seja gravado no momento ou importado da galeria do celular – traz uma interface menos profissional por também ser rede social, mas ele permite inserir efeitos especiais, filtros, legendas, trilha sonora, figurinhas e adesivos. No final, é possível compartilhar o resultado no próprio feed da rede ou exportar para a biblioteca do smartphone.

LUMEN5

O site de criação de vídeos é pensado justamente para estratégias de marketing digital e oferece uma biblioteca com diversas opções de fotos, videoclipes, arquivos de áudios, templates, fontes e uma ferramenta de voice over que permite a gravação da sua própria voz nos vídeos. A plataforma tem diversos planos, sendo o mais simples gratuito (*Community*).

PHOTOSHOP EXPRESS (ANDROID E IOS)

Trata-se de uma versão do software utilizada em desktops com funções simplificadas, porém, muito eficientes, a ponto de agradar também usuários mais exigentes. Com poucos toques, permite fazer retoques, como remoção de olhos vermelhos e manchas, melhorar a nitidez e o alinhamento, adicionar molduras, corrigir iluminação, girar e cortar imagens, entre diversos outros ajustes.

SNAPSEED (ANDROID E IOS)

É um dos queridinhos dos instagrammers. Os tutoriais simplificados compensam o fato de não ser um app tão intuitivo. Possui todas as características encontradas em um editor de desktops, como desfoque de áreas específicas das imagens, ajuste de brilho, contraste, balanço de cor, exposição, entre outros.

PICSART (ANDROID E IOS)

Especializado em criação de colagens, o aplicativo também permite fazer retoques de beleza, recortar, esticar, clonar, apagar o fundo, criar molduras, balões de texto, clip arts e ainda tem uma biblioteca de adesivos e filtros.

BÔNUS: APPS PARA FAZER GIFS

CRIADOR DE GIF, EDITOR DE GIF (ANDROID)

Como o próprio nome já diz, o usuário consegue criar e editar as GIFs a partir de fotos e vídeos da galeria do celular, além da possibilidade de gravar a tela e converter o clipe nesse formato. O contrário também funciona, ou seja, a conversão de GIFs para imagens e vídeos.

GIF ME! CAMERA (ANDROID E IOS)

É uma ótima alternativa para quem nunca fez esse tipo de animação, já que o app traz um layout bem intuitivo e de fácil uso. Ele permite que os usuários criem GIFs a partir de fotos tiradas na hora pela câmera do celular, além da adição de filtros e compartilhamento do material nas redes sociais. Basta fazer os cliques e esperar ser levado para a tela da edição.

GIPHY (ANDROID E IOS)

Site e aplicativo GIPHY permitem que os usuários busquem e compartilhem GIFs pelas redes sociais, além de adesivos e clipes. Também há as ferramentas de criação, como os filtros de rosto e textos animados.

Gatilhos mentais para vender bem

Domine as oito técnicas mais usadas pelos especialistas do marketing digital na hora de garantir o alto número de conversão de um projeto

POR CAROLINA SALOMÃO • IMAGENS: SHUTTERSTOCK

Quem não gosta de se sentir exclusivo? Ou receber conteúdo de alto valor gratuitamente? Ou ainda, conseguir um produto que, logo depois, não está mais disponível? É pensando nos efeitos que esses estímulos podem causar no inconsciente do ser humano que muitos especialistas do marketing não deixam de usá-los em suas campanhas. Afinal, os chamados "gatilhos mentais" fazem parte da habilidade de persuasão necessária para conquistar uma venda, influenciando completamente na tomada de decisão do público-alvo.

Se você já quis comprar um produto e não se sentiu satisfeito até conquistá-lo, saiba que a probabilidade de um ou mais desses gatilhos terem causado essa vontade é alta! A explicação para o controle que o inconsciente assume nessas situações vem da análise sobre a "fadiga de decisões", condição que o cérebro adquire quando precisa realizar muitas escolhas em um curto espaço de tempo. E por muitas escolhas entenda 35 mil em um dia, segundo estudo sobre a população adulta dos Estados Unidos, divulgado pelo site do ***The Wall Street Journal***.

Sabendo disso, o marketing aplicou o fenômeno no universo dos negócios, testando diversas técnicas de convencimento, entre as quais selecionamos as oito mais populares dentro do mercado digital: escassez, compromisso e coerência, reciprocidade, autoridade, prova social, inimigo em comum, antecipação e exclusividade. Preparado para descobrir a definição de cada gatilho e, principalmente, como usá-los em seus lançamentos futuros? Confira a seguir!

Escassez

A técnica é tão utilizada em Lançamento Semente que é provável que você já tenha sido vítima do gatilho! O objetivo principal é o de atingir o medo inconsciente de perder uma oferta específica por tempo indeterminado – ou até para sempre, em casos de lançamento único. O "porém" dessa técnica é que, uma vez utilizada, o especialista precisa cumprir com o prazo definido para que o público não se sinta enganado com a falsa escassez – especialmente os alunos que respeitaram o tempo estipulado – ou deixe de confiar na próxima vez em que você aplicar a técnica, excluindo seu efeito.

EXEMPLOS DE COMO ATIVÁ-LO:

- Curso com vagas limitadas: "Apenas 200 pessoas entrarão. Só os melhores e mais rápidos. Espero que você consiga".
- Comunique à sua audiência o prazo do carrinho aberto – o tempo todo e em todos os lugares (e-mail, feed, stories...). Por exemplo: "Por tempo limitado", "Últimas horas", "O carrinho está fechando. Não adianta pedir para abri-lo depois".
- Ofereça um bônus exclusivo para os primeiros compradores. Um dos mais usados pelos especialistas – e desejados pela audiência – é o sorteio de mentoria! Só não se esqueça de avisar o tempo de duração dela e o número de participantes para evitar confusões futuras: "Os 50 primeiros a preencherem as vagas terão a oportunidade de concorrer a uma mentoria de uma hora comigo. Corra!".

Compromisso ou coerência

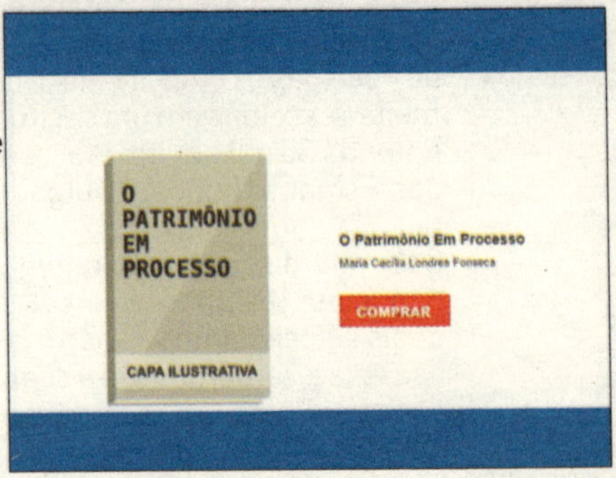

FOTOS: AREPRODUÇÃO/BLOG DA ROCKCONTENT

Em geral, o ser humano busca cumprir o que prometeu realizar, estabelecendo coerência entre suas falas e os seus atos. Por isso, é comum escutar dos experts frases do tipo "conto com você neste desafio", em e-mails e mensagens disparados para convocar os leads à semana de lives pré-lançamento. O gatilho também ocorre no *remarketing*. Por exemplo, como as marcas costumam agir quando um comprador em potencial seleciona os produtos que planeja adquirir no carrinho, mas os abandona? Elas o lembram do compromisso de completar a compra, enviando um e-mail para recuperar o contato. Veja um exemplo do Estante Virtual, separado pelo blog da *RockContent*:

Reciprocidade

Outro gatilho superimportante no mercado de lançamentos e marketing de conteúdo. Consiste em ativar a vontade inconsciente do público de retribuir algo que tenha gerado extremo valor profissional e pessoal, ou até mesmo uma mudança de vida. Assim, a audiência se sentirá impelida a fornecer os dados para receber mais conteúdo gratuito pela sua lista, ou se tornar o seu cliente – tanto pelo interesse no seu conteúdo quanto pela necessidade de agradecer pelo que já foi realizado gratuitamente.

EXEMPLOS DE COMO ATIVÁ-LO:

- Ofereça conteúdos gratuitos e de valor. Além do trabalho diário no Instagram, eles podem vir na forma de e-books, masterclasses e até imersões. Pense grande!
- Outra forma de usar o gatilho é por meio do atendimento personalizado: responda o máximo de caixinhas de perguntas, comentários e *directs*. A dica é chamar o seguidor pelo nome e apostar em áudios e vídeos exclusivos.
- A loja americana de departamentos *Macy's* é mestre em oferecer créditos altos no momento em que a compra é realizada no balcão, surpreendendo o cliente e garantindo o retorno dele.

Autoridade

Esse gatilho é construído a partir da relação de confiança entre o especialista e o público. E o melhor medidor de autoridade é justamente o número de vendas! Se você sente que o esforço para convencer seus seguidores a comprarem o infoproduto diminuiu, é sinal de que você está no caminho certo dessa estratégia! O fato pode acontecer porque:

- Colegas importantes do nicho indicam o seu perfil no Instagram. Quando uma pessoa que já é autoridade para alguém sugere outra, 50% do caminho para a conquista da confiança é construído. O próximo passo é se manter nessa caminhada mostrando os benefícios do seu trabalho.
- A própria produção de conteúdo é uma forma de mostrar que você domina o assunto e pode ser considerado uma autoridade no nicho. Mas é importante não deixar de responder as dúvidas da sua audiência com frequência!
- A prova social – comentários positivos de alunos e clientes sobre o seu produto ou serviço – ajuda (e muito!) na construção da sua autoridade dentro do seu nicho.

Prova social

Um dos gatilhos mais apreciados pelos especialistas, a prova social se resume em depoimentos satisfeitos de clientes e alunos que já experimentaram o seu infoproduto e conquistaram a transformação desejada. Esse estímulo se assemelha ao das indicações de colegas do nicho, auxiliando na captura de leads que ainda não conhecem a sua personalidade e o seu trabalho com a mesma profundidade de quem oferece as provas sociais.

EXEMPLOS DE COMO ATIVÁ-LO:

- Use e abuse desse gatilho se você já passou por um lançamento de sucesso. Não deixe de recolher depoimentos em pesquisas no pós-vendas para usá-las na landing page da próxima oferta!
- Esses comentários também podem aparecer em grupos do nicho pelas redes sociais. É uma forma espontânea e bastante eficiente de chamar mais pessoas para conhecer o seu perfil.
- Outra ferramenta na qual a prova social pode ser usada pelo expert é no texto dos e-mails pré e durante o lançamento.

Inimigo em comum

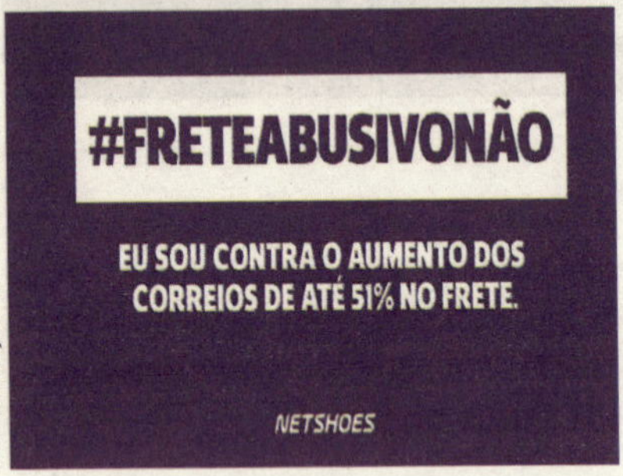

#FRETEABUSIVONÃO
EU SOU CONTRA O AUMENTO DOS CORREIOS DE ATÉ 51% NO FRETE.
NETSHOES

FOTO: REPRODUÇÃO/ FACEBOOK NETSHOES

Encontrar o inimigo em comum da sua marca e do consumidor auxilia na aproximação entre vocês, além do sentimento de comunidade de quem compra a mesma briga. Em fevereiro de 2018, por exemplo, a Netshoes achou o vilão em comum com o dos usuários: o aumento dos Correios de até 51% no frete. Assim, a empresa conseguiu se unir à população para resolver um problema que atrapalhava os dois lados, estabelecendo uma relação de companheirismo com a audiência: "No próximo dia 6, os Correios vão fazer uma entrega que ninguém quer receber. Vão entregar a todos que compram e vendem pela internet um aumento abusivo de até 51% no frete dos produtos. Clique no link da Bio e saiba mais", escreveu a empresa em seu perfil no Instagram.

Antecipação

Esse gatilho nada mais é do que a prévia do seu produto. Você pode encontrar exemplos da técnica nos melhores trailers do cinema! Assim como os *teasers*, a antecipação no mundo dos negócios digitais irá aumentar as expectativas e, por consequência, a ansiedade pela data da estreia/abertura do carrinho. Uma boa ideia dentro do Instagram é usar o recurso de "contagem regressiva", que avisa os usuários sobre o início das vendas no dia e horário desejados, como um alarme.

EXEMPLOS DE COMO ATIVÁ-LO:

- Conte um pouco sobre o que os alunos vão encontrar nos módulos do curso, ou nos capítulos do e-book, ou ainda combine uma live para conversar sobre os seus planos com os seguidores.

- Hoje em dia, diversos especialistas investem na produção de trailers próprios para o infoproduto. São *nuggets* ou vídeos mais extensos compartilhados no feed, story e IGTV, cheios de efeitos especiais, trilhas sonoras e roteiros bem trabalhados. Dignos de cinema!

- Se você fará um desconto imperdível, um bônus especial ou uma estratégia completamente diferente das outras, que tal antecipar as novidades para estimular a curiosidade do seu público?

Exclusividade

FOTO: REPRODUÇÃO/ SITE INTRINSECOS.COM.BR

Quem não gosta de se sentir em uma espécie de lista VIP, na qual só você ou um número restrito de pessoas têm acesso ao evento ou produto? As consequências desse gatilho também aproximam a marca do usuário, tornando mais fácil o processo de convertê-lo em lead e, posteriormente, em comprador. Um exemplo disso é o que os experts fazem ao compartilhar conteúdos exclusivos no Telegram, e-mail, ou outra plataforma, com a finalidade de separar os leads dentre os seguidores do Instagram. Outra situação em que esse gatilho é bastante aplicado é nas assinaturas, em que a frase "material exclusivo para assinantes" é recorrente, como ocorre com os clubes do livro de editoras. A *Intrínseca*, por exemplo, oferece uma seleção única para os cadastrados, além de um livro inédito da própria casa todo mês, conforme imagem acima.

100
Instagram

A vista do topo

Saiba quem são as referências dos nichos mais lucrativos do mercado e aprenda com as estratégias de marketing digital de cada segmento. Siga os mestres!

POR CAROLINA SALOMÃO • IMAGENS: SHUTTERSTOCK

"Quais são os nichos mais lucrativos do digital?". Se você segurou essa dúvida até aqui, chegou a hora de descobrir a resposta! "[...] Podemos afirmar que os nichos mais rentáveis são aqueles em que as pessoas estão mais dispostas a gastar dinheiro em troca de uma transformação de vida ou uma realização pessoal. Portanto, os produtos digitais mais vendidos são aqueles que entregam, além de uma solução, um novo modo de vida", revelou a Hotmart por meio do blog da plataforma. Entre as categorias citadas no artigo, publicado em maio de 2021, estavam as de alimentação, estilo de vida saudável, negócios e carreira, além do segmento de pets.

Encontrou a sua área? Se sim, complete os outros 50% do caminho analisando as estratégias de marketing e conteúdo realizadas pelos maiores perfis do Instagram desses nichos. Se não, sem problema: esse ranking continua e o fato é que cada segmento tem o seu próprio case de sucesso! E por sucesso entenda números que chegam à casa dos sete dígitos de seguidores, cursos que reúnem milhares de alunos e faturamentos milionários por ano.

Já os planejamentos para as redes sociais variam de acordo com o nicho, porém, alguns aspectos funcionam em mais de uma seção, como publicações patrocinadas pela ferramenta do Instagram Ads, parcerias entre marcas, collabs entre lives de especialistas e até memes que originaram campanhas publicitárias. Quer saber mais? A seguir, confira os passos percorridos por quem conseguiu alcançar o topo do mercado digital.

Alimentação e vida saudável

FOTO: REPRODUÇÃO INSTAGRAM

LARA NESTERUK

Perfil no Instagram: @laranesteruk
Número de seguidores: 1 milhão
História: Em 2014, a nutricionista começou a documentar os seus próprios resultados com a dieta lowcarb, ainda pouco comentada na época, conquistando cada vez mais seguidores no Snapchat e Instagram.
Sucesso: Já são 11 turmas do "Curso de Emagrecimento", o primeiro infoproduto da nutricionista. Outra ideia da Lara é o "Bem Bolado", que ocorre 100% pelo Instagram, onde ela apresenta exercícios relacionados à disciplina e reúne quase 34 mil alunos. O terceiro empreendimento é o curso "Saúde em Negócios", que apesar do ticket alto de quase R$ 5 mil, se esgota em questão de horas.

FOTO: REPRODUÇÃO INSTAGRAM

MALU PERINI

Perfil no Instagram: @maluperini
Número de seguidores: 383 mil
História: Foi em 2017 que Malu decidiu investir em produção de conteúdo e na documentação da sua própria jornada de rotina saudável. Primeiro pelo Snapchat, depois pelo Instagram, quando a rede social estreou os stories. Malu também é a criadora do site e canal no YouTube "Você Mais Fitness", além de ter produzido o livro de receitas "Cozinha de Verdade".
Sucesso: Seu maior infoproduto é o "Materializa", programa de vida saudável com duração de oito semanas que reúne lives com a expert, treinos, guia, lista e calendário alimentar, além da estratégia elaborada por uma nutricionista. A procura é tanta que o curso é aberto três vezes ao ano.

3 DICAS DE MARKETING PARA INSTAGRAM

■ 1. CHALLENGES

Aposte em desafios de exercícios físicos e alimentação saudável! Além de construir o sentimento de comunidade entre os seguidores – já que, unidos, eles se comprometem a chegar até o final do *challenge* –, você pode testar o potencial do movimento para um possível infoproduto.

■ 2. RECEITAS E PARCERIAS COM MARCAS

Combinado ou não com os desafios, é possível entregar suas receitas preferidas em diversos formatos: post no feed, tutoriais no IGTV ou até um e-book completo. Outra ideia é criar um preparo novo em parceria com marcas da indústria alimentícia nas quais você confia e admira.

DE EXPERT PARA EXPERT

■ 3. REVELE A SUA HISTÓRIA DE SUPERAÇÃO

"Uma das publicações de maior engajamento no meu perfil é quando conto sobre as minhas vulnerabilidades, dificuldades ou algo que deu errado. As pessoas se conectam porque elas também passam por isso. Então, é interessante ver que uma referência no mercado enfrenta problemas como esses", revelou Ellen Salomão.

Bares e restaurantes

FOTO: REPRODUÇÃO INSTAGRAM

PARIS 6

Perfil no Instagram: @paris_6
Número de seguidores: 1,3 milhão
História: Fundado por Isaac Azar, a ideia inicial era construir um café 24h, mas o Paris 6 acabou se tornando um dos restaurantes mais badalados de São Paulo – e das redes sociais.
Sucesso: Antes da pandemia de 2020, a rede de restaurantes faturava R$ 9 milhões mensais, de acordo com matéria publicada pelo site da CNN.

FOTO: REPRODUÇÃO INSTAGRAM

MANÍ MANIOCA

Perfil no Instagram: @manimanioca
Número de seguidores: 275 mil
História: Parte do Grupo Maní, o restaurante Maní de culinária brasileira foi fundado em março de 2006 em São Paulo e conta com a direção da chef Helena Rizzo. Tanto o estabelecimento quanto a chef já receberam diversas premiações nacionais e internacionais.
Sucesso: No Dia dos Namorados do ano de 2019, foi feita uma campanha de reserva de mesas com foco nas redes sociais por meio de uma landing page. Em apenas nove dias, a campanha alcançou 54.409 pessoas, teve 113.906 impressões e recebeu 204 reservas, resultando em um ROI (retorno sobre investimento) estimado de 14.547,99%, segundo dados da página *Layer Up*.

3 DICAS DE MARKETING PARA INSTAGRAM

1. APOSTE EM CONTEÚDOS *FOOD PORN*
O termo em inglês, que significa "pornografia alimentar", traz a ideia de imagens ou vídeos que aguçem o paladar e, principalmente, a fome dos clientes. Mostrar o queijo do hambúrguer derretendo, a calda de chocolate caindo sobre o sorvete da sobremesa ou um hot dog sendo prensado são exemplos dessa trend. Para obter o resultado desejado, sempre opte por fazer fotos profissionais.

2. ENGAJAMENTO COM O MENU
O Paris 6 decolou de vez quando Isaac começou a nomear as comidas do cardápio com nomes de famosos brasileiros. O primeiro prato ganhou o nome do ator Bruno Gagliasso, mas, com o crescimento do digital, a marca estendeu a ideia aos influencers da internet, como o estrogonofe de frango com cheddar que leva o nome de Camila Loures, celebridade das redes sociais.

3. MONTAGEM DOS PRATOS
A ideia é destacar os pontos mais fortes de cada prato e mostrar como eles são preparados. Outro exemplo é entregar dicas de gastronomia por meio do IGTV. Além de ser uma forma de engajar com a audiência utilizando as ferramentas gratuitas do Instagram, você pode patrocinar o material para alcançar mais pessoas.

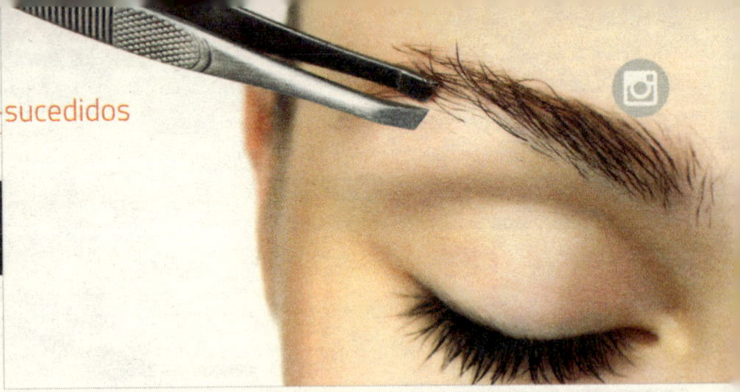

Clínicas de estética e salões de beleza

FOTO: REPRODUÇÃO INSTAGRAM

ESPAÇO VS HAIR&CO

Perfil no Instagram: @vivi_siqueira
Número de seguidores: 130 mil
História: Viviane Siqueira começou a trabalhar como assistente de cabeleireira com apenas 16 anos. Foi após sete anos na área que a carioca decidiu abrir o primeiro salão de beleza próprio.
Sucesso: Hoje, além de ser referência em loiros e estar à frente do Espaço VS, Viviane é embaixadora da L'Oréal Professional, tem mais de 20 anos de experiência no mercado de beleza, atende celebridades como Viviane Araújo e Suzana Vieira, e ensina outras profissionais por meio de workshops.

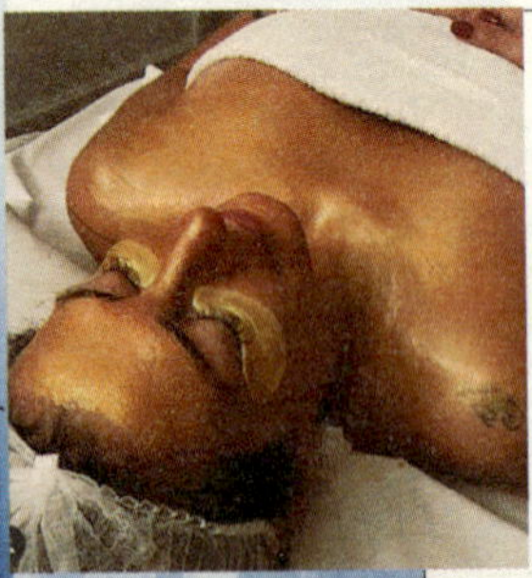

FOTO: REPRODUÇÃO INSTAGRAM

ATRIUM SAÚDE

Perfil no Instagram: @atriumsaude
Número de seguidores: 24,6 mil
História: Fundada em 2015 em São Paulo, a Atrium Saúde carrega um slogan – "Coisas Boas Acontecem Aqui!" – e três pilares bem definidos: "[...] que a saúde está em um conjunto de atividade física, alimentação saudável e tratamentos que cuidam do seu corpo e mente", segundo o site da marca.
Sucesso: Seguindo esses valores e com o trabalho constante no Instagram, a Atrium já atendeu e fechou parcerias com diversas celebridades, como Thaila Ayala, Gabi Luthai, Luisa Sonza, Julia Faria, entre outras.

3 DICAS DE MARKETING PARA INSTAGRAM

1. ANIVERSÁRIOS
Se datas comemorativas e feriados podem render uma ótima estratégia de marketing, por que descartar os aniversários dos próprios clientes? A Atrium Saúde costuma decorar o ambiente com bexigas coloridas e preparar um doce especial para as consumidoras que visitam o espaço no mês da celebração, postando registros no perfil da marca e enriquecendo a relação com elas. Fica o exemplo para o seu negócio!

2. PORTFÓLIO
Seja em bonecas ou modelos reais, a dica é aproveitar as diferentes ferramentas do Instagram para criar o portfólio mais completo do seu trabalho! Valem imagens de antes e depois, passo a passo de técnicas no IGTV e posts informativos, mostrando a sua autoridade no assunto e o diferencial da sua marca. Foi usando o Instagram como portfólio que Viviane cresceu na rede social e aumentou a clientela!

3. APONTAR O PROBLEMA
Não é raro ouvir especialistas do marketing digital afirmando que, muitas vezes, o seguidor ainda não sabe que guarda um problema. Então, o primeiro passo para vender mais é mostrá-lo e discuti-lo para que, assim, você possa trazer a solução. A Atrium Saúde faz postagens específicas sobre os problemas resolvidos pela marca, como, por exemplo, a porcentagem de perda de colágeno ao longo dos anos, com a solução na legenda: radiofrequência, Ultraformer III, entre outros serviços oferecidos pela empresa.

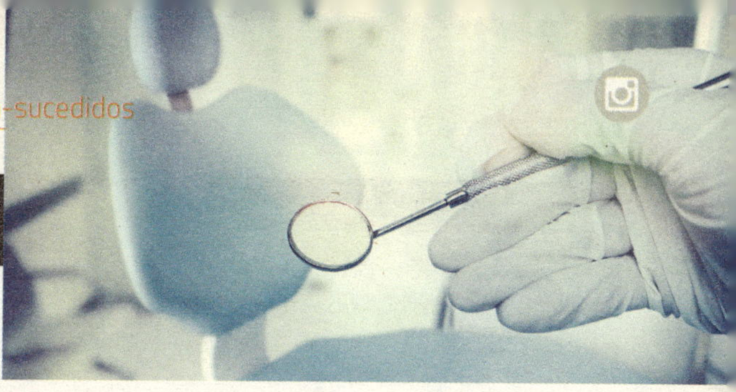

Consultórios médicos e odontológicos

FOTO: REPRODUÇÃO INSTAGRAM

DOUTOR BARAKAT/ INSTITUTO BARAKAT

Perfil no Instagram: @doutorbarakat
Número de seguidores: 1,7 milhão
História: Fundador do Instituto Barakat de Medicina Integrativa, o médico Mohamad Barakat atua há mais de três décadas na área da saúde, mas foi compartilhando sobre a sua expertise e rotina nas redes sociais que o doutor ganhou uma fama milionária.
Sucesso: Além dos atendimentos, Dr. Barakat reúne diversos infoprodutos, alguns disponibilizados gratuitamente, como os e-books "Guia da Imunidade" e "#Desafio30DiasDrBarakat". Mais um exemplo de *over delivery*!

FOTO: REPRODUÇÃO INSTAGRAM

FABIANO & ALANA/ IDF ORAL CLINIC

Perfil no Instagram: @dentistasfit
Número de seguidores: 653 mil
História: A história do casal com o Instagram começa em 2014, com o objetivo de unir aspectos da profissão de dentista ao estilo de vida fitness.
Sucesso: "O principal fator do crescimento do nosso Instagram ocorreu pelo fato de vários dentistas, e até pessoas que não eram da mesma profissão, se identificarem com a gente no sentido de... Se eles conseguem, por que nós não? Porque a maior desculpa dos dentistas [para não manter uma rotina saudável] era a de não ter tempo", explica Alana em um IGTV do perfil.

3 DICAS DE MARKETING PARA INSTAGRAM

1. CONSULTE AS NORMAS DO CONSELHO
É preciso estar atento às regras de propaganda e marketing tanto dos Conselhos Federais de cada profissão quanto às do Conselho Nacional de Autoregulamentação Publicitária (CONAR).

2. DESVENDANDO MITOS
Um dos posts mais produzidos pelo Dr. Barakat até hoje é aquele que explica crenças sobre alimentos e saúde, como a diferença entre o sal refinado e o sal integral, além da desmistificação do colesterol e da banha de porco, por exemplo.

DE EXPERT PARA EXPERT

3. DIVULGUE OS SEUS SERVIÇOS
A dica é mostrar os serviços oferecidos com imagens de "Antes x Depois", ou aspectos interessantes do procedimento mais procurado no consultório. No caso de Fabiano e Alana, por exemplo, há IGTVs e posts sobre harmonização facial, clareamento dos dentes e troca de lentes. "No meu perfil, os posts de maior engajamento são as fotos de antes e depois, porque elas passam uma ideia de transformação. É uma forma de mostrar as mudanças que o meu trabalho causa. Geralmente, são as publicações em que as pessoas mais comentam e mais salvam. Elas escrevem algo como 'meu sonho!', 'também quero!'. E eu respondo que é um sonho totalmente possível de ser alcançado" – LaylaPandolpho, *personal organizer*.

Corretoras de imóveis

FOTO: REPRODUÇÃO INSTAGRAM

LOPES IMÓVEIS

Perfil no Instagram: @lopesimoveis
Número de seguidores: 66,6 mil
História: Com 85 anos de experiência no mercado, a Lopes conta com uma equipe de mais de 9 mil corretores associados, está presente em 10 estados brasileiros, reúne 180 mil imóveis à venda e 102 lojas próprias e franquias.
Sucesso: Segundo pesquisa do IBOPE Inteligência, a Lopes é *top of mind* do setor imobiliário paulistano. A companhia também lidera o número de acessos em seu site comparado a outras empresas do setor.

FOTO: REPRODUÇÃO INSTAGRAM

VIVA REAL

Perfil no Instagram: @vivareal
Número de seguidores: 67,7 mil
História: A empresa faz parte de um grande conjunto de marcas do mercado imobiliário: o Grupo Zap.
Sucesso: Apesar de a sua fundação ser bastante recente – 2018 –, o grupo sempre investiu em ações de marketing digital para aumentar o público no Instagram, os acessos do site e as vendas pela internet.

3 DICAS DE MARKETING PARA INSTAGRAM

1. REFERÊNCIAS
Uma maneira de inspirar seus seguidores é mostrar referências de diferentes partes da casa ou do apartamento: cozinha, sala, quarto, banheiro etc. A Viva Real sempre tem uma seleção digna de Pinterest em sua conta no Instagram.

2. APOSTE EM GRÁFICOS
O nicho apresenta uma ótima oportunidade para conteúdos que trazem tabelas, planilhas e *checklists* com a finalidade de esclarecer assuntos relacionados a cobranças, taxas, tendências do mercado e processos de mudança.

3. CONTEXTUALIZAÇÃO
Estar bem-informado sobre o seu nicho e o mundo em geral é essencial para fazer publicações que estejam ligadas à rotina do seu público-alvo. Foi assim que a Lopes decidiu fazer um post criativo sobre a liberação do FGTS em abril deste ano, incentivando os usuários a pensarem na conquista de um novo apartamento.

Delivery

FOTO: REPRODUÇÃO INSTAGRAM

IFOOD

Perfil no Instagram: @ifoodbrasil
Número de seguidores: 1,1 milhão
História: Fundada em 2011, a ideia dos sócios Patrick Sigrist, Eduardo Baer, Guilherme Bonifácio e Felipe Fioravante era revolucionar o mercado de delivery de comida. Podemos concluir que o grupo conseguiu, não é mesmo?
Sucesso: Segundo dados publicados no site da IBND em 2020, a marca conta com 200 mil empresas cadastradas, 700 colaboradores no Brasil e um recorde de 39 milhões de pedidos mensais.

FOTO: REPRODUÇÃO INSTAGRAM

RAPPI BRASIL

Perfil no Instagram: @rappibrasil
Número de seguidores: 456 mil
História: Com a proposta do "delivery de tudo" e estratégias de marketing nada convencionais – como a troca de um donut por cada download do app –, a marca, fundada na Colômbia em 2015, veio para mudar os padrões de consumo dos brasileiros – e dos outros seis países em que atua.
Sucesso: A relação com o Instagram é tão próxima que a rede fez uma parceria especial com a empresa de delivery durante a pandemia causada pela Covid-19: a criação do botão "Pedido de Refeição" aos perfis dos restaurantes e outros empreendimentos cadastrados nos aplicativos da Rappi e do UberEats, tornando a experiência dos instagrammers mais prática e veloz.

3 DICAS DE MARKETING PARA INSTAGRAM

1. MEMES

Durante o confinamento do *Big Brother Brasil 21*, Thais Braz pensou que poderia comer a embalagem de mandioca do iFood durante almoço patrocinado pela marca. Não deu outra: a ex-BBB se tornou meme nas redes sociais e a empresa aproveitou o viral para fechar parceria com a influencer. A campanha?
O incentivo ao botão "sem talheres de plástico" no pedido das entregas. Em quatro dias no Instagram, o vídeo já tinha mais de 170 mil visualizações, enquanto a média de outras colaborações varia entre 20 e 40 mil views. Ecológicos e cheios de alcance.

2. JOGOS

O iFood também aposta em publicações interativas por meio de caça-palavras – como o de ideias de presente para o Dia das Mães – e tabela de pratos de acordo com a primeira letra dos nomes dos clientes. Use esse tipo de post para estimular os comentários e marcações entre os seguidores.

3. SÉRIES NO IGTV

Inspire-se na Rappi quando considerar fazer uma temporada completa no IGTV com base em um tema especial do nicho. No perfil da plataforma de delivery, por exemplo, você encontra três episódios da série "Rappi Racks", com dicas sobre mesa posta, entradinhas para receber a família e ideias para tábua de frios.

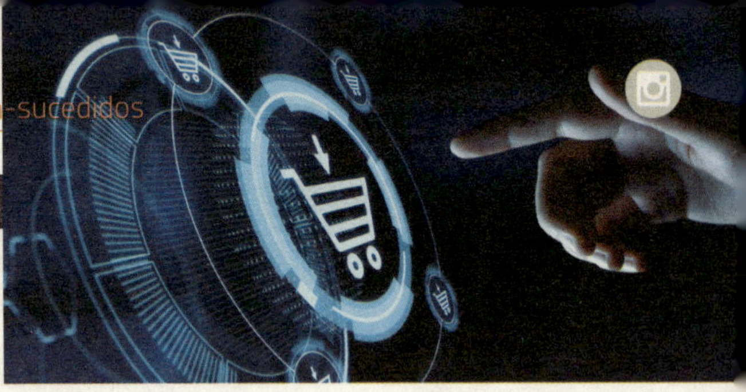

E-commerce

FOTO: REPRODUÇÃO INSTAGRAM

LOJAS AMERICANAS S. A.

Perfil no Instagram: @americanascom (perfil do *e-commerce*)
Número de seguidores: 5,6 milhões
História: Inaugurada em 1929, em Niterói, no Rio de Janeiro, a empresa foi fundada por um grupo de quatro norte-americanos: John Lee, Glen Matson, James Marshall e Batson Borger, sob o slogan: "Nada além de dois mil réis".
Sucesso: Hoje, as Lojas Americanas reúnem mais de 1.700 espaços físicos, mais de 30 milhões de produtos cadastrados no aplicativo da marca e mais de 40 milhões de clientes ativos.

FOTO: REPRODUÇÃO INSTAGRAM

MAGAZINE LUIZA

Perfil no Instagram: @magazineluiza
Número de seguidores: 5,3 milhões
História: Criada na década de 1950 pela família da Luiza Helena Trajano, a marca se tornou uma das maiores plataformas digitais do varejo brasileiro. "Agora, a digitalização pode transformar para melhor as empresas brasileiras – sobretudo as pequenas. Ao se tornar um grande ecossistema digital, o Magalu, com suas raízes fincadas no interior do País, prepara-se para ser a companhia que vai digitalizar o Brasil", promete a empresa em sua própria página na web.
Sucesso: O Magalu faturou 1 bilhão de reais no e-commerce em 10 anos e a mesma marca em apenas 2 anos com a operação de marketplace que, em dezembro de 2019, reunia 15 mil sellers, indústrias e varejistas.

3 DICAS DE MARKETING PARA INSTAGRAM

1. PERFIL MAIS PESSOAL: TAMBÉM É POSSÍVEL PARA EMPRESAS!
O Magazine Luiza resolveu muito bem o problema da maior parte das marcas que gostaria de deixar o perfil do Instagram mais humanizado, criando a sua própria influenciadora, só que virtual e em 3D. A "Lu do Magalu" se comporta como uma autêntica produtora de conteúdo, respondendo dúvidas dos seguidores na caixinha de pergunta dos stories e até reproduzindo as danças dos *challenges* no Reels.

2. O PODER DAS *HASHTAGS*
A criação de palavras-chave pensadas exclusivamente para cada campanha é algo muito bem aplicado pelas referências do mercado digital. Por exemplo, as Americanas usaram o recurso para anunciar a nova parceria com Juliette Freire, ex-BBB que se tornou um fenômeno no reality show e no próprio Instagram, reunindo mais de 30 milhões de seguidores! Com a hashtag #JulietteNaAmericanas, a marca convocou todo esse grupo de pessoas – apelidadas carinhosamente por Juliette de "cactos" – para compartilharem os conteúdos da ação na rede social.

3. APOIE CAUSAS SOCIAIS
Uma das campanhas mais famosas – e importantes – da Magalu também envolve hashtags, mas, principalmente, a preocupação com as seguidoras que sofreram abusos psicológicos e físicos. Com o compartilhamento da palavra-chave #NemLoucaNemSozinha nas redes sociais, a marca chamou a atenção para o botão especial do aplicativo da loja, que acionava o acolhimento da vítima em parceria com a ONG *Justiceiras*.

Estúdios fotográficos

FOTO: REPRODUÇÃO INSTAGRAM

ESTÚDIO THALITA CASTANHA

Perfil no Instagram: @estudio_thalitacastanha
Número de seguidores: 315 mil
História: Fotógrafa desde 2013, Thalita conseguiu construir o próprio estúdio em 2015, se especializando no segmento materno-infantil, como gestantes, partos, newborns (recém-nascidos, em tradução para o português) e acompanhamento de bebês de até três anos de idade.
Sucesso: Hoje, ela é embaixadora da Sony no Brasil como referência em fotografia de parto. Além de participar de palestras, Thalita também oferece mentorias e masterclasses para profissionais da área. Entre as celebridades clicadas pela expert estão Alok e Sabrina Sato.

FOTO: REPRODUÇÃO INSTAGRAM

ESTÚDIO BINGO

Perfil no Instagram: @estudiobingo
Número de seguidores: 16,8 mil
História: Fundado em 2015 por Eliza Guerra, a Bingo logo ganhou sua segunda sócia, Mariel Dodd, e se define como "um estúdio criativo e estratégico especializado em narrativas de marca para o Instagram", segundo trecho de uma das publicações do perfil.
Sucesso: O estúdio acumula diversos trabalhos para a rede social de grandes marcas como iFood, Melissa, Quinto Andar, Spotify, Bis, entre outros.

3 DICAS DE MARKETING PARA INSTAGRAM

▪ 1. PROCESSO CRIATIVO

Originalmente criado para ser um aplicativo de fotografia, o Instagram ainda carrega uma forte relação com a oitava arte e seus profissionais, sendo uma ferramenta bastante visual. Para trabalhar essa característica a seu favor, a sugestão é mostrar diferentes ângulos, contrastes e composições de uma mesma sessão de fotos. Você ainda pode enriquecer essa experiência contando as curiosidades dos bastidores na legenda. Por exemplo, no photoshoot da Melissa, a Bingo compartilhou uma imagem feita na piscina e revelou que a ideia surgiu no dia.

▪ 2. ESTILO PRÓPRIO

Que tal tornar um tema a sua marca registrada? Por exemplo, nas sessões da Thalita Castanha é comum ver fotografias ao estilo "smash the cake" ou "smash the fruit", que em português significam algo como "destrua o bolo" e "destrua a fruta", em que as crianças aparecem se divertindo enquanto pegam partes do bolo de aniversário ou da fruta com as mãos. O resultado fica bastante "instagramável".

▪ 3. ENTREVISTA COM A EQUIPE

Se você conta com a parceria de profissionais de diferentes segmentos, aproveite a expertise da sua equipe para criar posts cheios de conteúdo: como construir a cenografia? Como se destacar na criação de roteiros para campanhas publicitárias? Ou, ainda, qual é a história da sua maquiadora?

Educação e cursos

FOTO: REPRODUÇÃO INSTAGRAM

MATHEUS TOMOTO

Perfil no Instagram: @matheustomoto
Número de seguidores: 1,3 milhão
História: Matheus estudou em escola pública, aprendeu inglês sozinho em três meses e estagiou no Instituto de Tecnologia de Massachusetts (MIT) – melhor faculdade de tecnologia do mundo! Agora, já são sete anos de experiência na área e mais de mil brasileiros auxiliados pela mentoria do expert apenas em 2020.
Sucesso: Hoje, ele é research fellow da *Harvard University*, nos Estados Unidos, e mentor de brasileiros que desejam buscar oportunidades internacionais, como bolsas de estudo, trabalhos e estágios.

FOTO: REPRODUÇÃO INSTAGRAM

CAROL MENDONÇA

Perfil no Instagram: @professoracarolmendonca
Número de seguidores: 415 mil
História: Carol é professora há mais de uma década e, há cinco anos, fundou o projeto "Português Para Desesperados", que busca a popularização do ensino da língua por meio das redes sociais. "Na época, eu dava aula em cinco escolas e cursinhos da Baixada Fluminense, no Rio de Janeiro. A minha intenção era ajudar os alunos com materiais audiovisuais, como memes, músicas e outras ferramentas das redes sociais de que eles gostassem", revelou a professora.
Sucesso: Atualmente, Carol tem um curso on-line focado em Português para concursos públicos, já que no Brasil a disciplina é a única exigida em todos os exames da categoria.

3 DICAS DE MARKETING PARA INSTAGRAM

1. ENQUETES NOS STORIES E FEED
"Qual é a forma correta? Meteorologia ou Metereologia?" – você saberia a resposta? É com esse tipo de desafio que a professora Carol provoca a curiosidade, o conhecimento e o engajamento dos seus seguidores! Para isso, ela usa a ferramenta das enquetes, disponível nos stories, ou postando print do recurso no feed. O sucesso é tanto que a enquete sobre essas pegadinhas da Língua Portuguesa se tornou um quadro quase diário na conta – e o mais esperado pelos usuários. A alternativa correta? Confira no perfil da Carol!

2. CRIE UMA LINGUAGEM PRÓPRIA
"Fala, meu 'polvo'!" É assim que Matheus Tomoto cumprimenta seus seguidores. O termo pegou tanto entre os alunos que a figura do polvo se tornou marca registrada do professor – e da comunidade dele no Instagram.

3. HITS DO MOMENTO
"Engajamento é muito difícil. Não existe uma receita de bolo, porque, às vezes, uma publicação dá muito certo nesta semana, mas na outra já perdeu a graça para a audiência. A internet é muito imediata! Mas, em geral, os seguidores gostam bastante de conteúdo que mistura músicas de sucesso com dicas de Português. Essa dica pode ter relação com o hit ou pode ser em formato de paródia com dicas da língua. Isso mexe muito com eles, a contextualização no que eles já gostam. Músicas, memes, novela", revelou Carol.

Investimentos

FOTO: REPRODUÇÃO INSTAGRAM

O PRIMO RICO

Perfil no Instagram: @thiago.nigro
Número de seguidores: 5,2 milhões
História: Pensando em como a maior parte dos brasileiros não conseguia manter o padrão de vida após a aposentadoria, Thiago Nigro decidiu criar o canal no YouTube chamado O Primo Rico, em 2016, para ensinar sobre investimentos e finanças pessoais. A ideia cresceu tanto que o nome se tornou marca.
Sucesso: Mesmo com ticket alto na média dos R$ 2 mil, o treinamento "Do Mil ao Milhão" rendeu a Nigro mais de 50 mil alunos. Agora, "O Primo Rico" investe em uma plataforma própria de educação financeira e investimentos, chamada *Finclass*, no esquema de assinatura. A meta do expert é atingir 1 milhão de alunos até 2022.

FOTO: REPRODUÇÃO INSTAGRAM

NATHALIA ARCURI

Perfil no Instagram: @nathaliaarcuri
Número de seguidores: 2,8 milhões
História: Foi em 2015 que a jornalista decidiu colocar em prática a ideia de um programa sobre investimentos e finanças pessoais, após receber vários "nãos" da TV aberta em que trabalhava. Assim, nasceu a Me Poupe!, empresa que teve origem em um blog e canal no YouTube e que já reúne mais de 6 milhões de inscritos, sendo o maior no mundo sobre o assunto.
Em números: Já são 7 turmas do curso mais popular da marca, "Jornada da Desfudência", além dos treinamentos "Meu Salário, Minhas Regras" e "Eu, Chefe de Mim" – todos on-line. No total, Nathalia já auxiliou 43 mil alunos a melhorarem suas condições financeiras.

3 DICAS DE MARKETING PARA INSTAGRAM

1. FAÇA COLLABS COM COLEGAS DO RAMO
Em 2019, Thiago se tornou o principal perfil de Instagram do nicho, com um crescimento de 88,7% em 12 meses! O segredo? A maratona de lives que ocorriam às 5h da manhã com participações de peso como a do bilionário Flávio Augusto. Essa, em especial, chegou à marca de 66 mil espectadores simultâneos, unindo o público dos dois especialistas. Não é todo dia que você consegue trazer um bilionário para falar no seu Instagram, mas convidar um colega da área é sempre uma boa ideia, já que a audiência dele acaba conhecendo o seu trabalho.

2. DESCOMPLIQUE OS TERMOS
Como o nicho é cheio de definições técnicas que distanciam a audiência geral do assunto, a dica é usar essefator a seu favor: faça posts criativos explicando cada um de uma maneira simples e direta.

3. BAGAGEM CULTURAL
Com o objetivo de aproximar os assuntos do nicho ao dia a dia dos usuários, Bruno mantém um quadro em seu perfil no qual analisa filmes e personagens famosos sob a ótica do mundo dos investimentos. "Eu acho que hoje consigo avaliar esses personagens porque muitos deles me representaram em algum momento da vida. No começo eu contava os centavos, economizava ao máximo, assim como Julius, de *Todo Mundo Odeia O Chris*. O problema são os extremos. Ou nós somos ensinados a economizar cada centavo ou a gastar como se não houvesse amanhã. As pessoas evitam o equilíbrio, que é justamente aonde dá certo", afirma Bruno.

Marketing digital

FOTO: REPRODUÇÃO INSTAGRAM

ICARO DE CARVALHO

Perfil no Instagram: @icaro.decarvalho
Número de seguidores: 90 mil
História: Icaro sempre relembra a história de quando ele e a sua esposa comemoraram o aniversário de namoro em uma lanchonete e precisaram dividir um salgado e uma bebida. Foi então que o especialista decidiu trabalhar incansavelmente no marketing digital para garantir uma vida melhor à família.
Sucesso: Especialista em copywriting, autor do "Transformando palavras em dinheiro" e co-fundador do *O Novo Mercado*, escola de negócios digitais que já reúne mais de 30 mil alunos, Icaro é um dos expoentes mais importantes do mercado de lançamentos.

FOTO: REPRODUÇÃO INSTAGRAM

CAROL CANTELLI

Perfil no Instagram: @carolcantelli
Número de seguidores: 764 mil
História: Graduada em Arquitetura, Carol trabalhava em uma loja de revestimentos como vendedora, ganhando pouco mais de dois salários mínimos, segundo artigo publicado no site da *Revista Empreende*. Esse cenário começou a mudar em 2016, quando Carol decidiu compartilhar sobre decoração, arquitetura e a rotina da loja em seu Snapchat.
Sucesso: Essa simples ideia fez com que a arquiteta enxergasse o seu potencial para o marketing digital, já que diversas pessoas começaram a convidá-la para palestrar sobre o assunto. Foi então que, três anos depois, a expert lançou o "Carol Me Treina", programa ao vivo que reuniu mais de 1.200 arquitetos e outros profissionais. Hoje, graças ao seu crescimento na internet, Carol já faturou mais de dez vezes sua renda inicial e chegou aos sonhados sete dígitos anuais.

3 DICAS DE MARKETING PARA INSTAGRAM

1. FRASES DE EFEITO

"Não existe concorrência" e "Marketing é transformar segundos em minutos" são apenas alguns dos slogans mais replicados entre os seguidores de Icaro de Carvalho nas redes sociais, contribuindo para o reconhecimento de marca e para o sentimento de comunidade - afinal, só quem segue o "pai", apelido de Icaro no Instagram, vai entender o contexto e os ensinamentos que cada frase carrega.

2. STORYTELLING E SÍMBOLOS

Assim como Icaro, a Carol Cantelli também tem algo bastante característico da sua comunidade: a imagem da borboleta e a ideia de transformação que ela traz. Afinal, a arquiteta sempre diz que passou por uma metamorfose - nome, inclusive, que ela escolheu para a sua mentoria -, sendo a loja de revestimentos em que trabalhava o seu casulo e o sucesso na internet, seu voo como borboleta.

3. ANTECIPAÇÃO

Uma das técnicas mais utilizadas no marketing de conteúdo é a antecipação das novidades, aguçando a curiosidade dos usuários ao máximo antes de revelar o material ou a oferta. Um exemplo disso são os criativos que trazem um mistério proposital, com legendas como "segunda-feira, irei revelar o valor do curso e quais serão os temas de cada módulo".

Moda, acessórios e roupas

FOTO: REPRODUÇÃO INSTAGRAM

AMARO

Perfil no Instagram: @amaro
Número de seguidores: 1 milhão
História: Segundo matéria publicada no blog da Hotmart, a Amaro foi a primeira loja de roupas no Brasil completamente on-line. Fundada em 2012, o seu e-commerce já reúne cerca de 1,5 milhões de visitantes mensais. Além disso, a empresa investiu nas redes sociais desde o início, produzindo conteúdo para os canais do Facebook, Instagram e YouTube.
Sucesso: Além de destacar o tamanho no Instagram, o site da empresa revela números como 150 marcas parceiras, satisfação de 95% das clientes, que voltariam a comprar com a marca, 228 mil produtos avaliados, 16 guide shops em 7 cidades do Brasil e 75% dos pedidos entregues em até 2 dias.

FOTO: REPRODUÇÃO INSTAGRAM

RESERVA

Perfil no Instagram: @reserva
Número de seguidores: 1 milhão
História: Tudo começou em 2004, quando os amigos Rony Meisler e Fernando Sigal resolveram criar uma bermuda com o slogan "Seja você mesmo, mas nem sempre o mesmo", depois de notarem que os colegas de academia estavam usando o mesmo modelo de short. O resultado? Venderam tudo entre os amigos. A partir do ocorrido, a Reserva, nome em homenagem a uma praia carioca, nunca mais parou!
Sucesso: Com foco no público masculino, a empresa se tornou case de sucesso do Facebook e do Instagram com a campanha #PaiPresente para o Dia Dos Pais de 2018, obtendo seis pontos de crescimento em reconhecimento de marca e dez pontos de aumento em lembrança do anúncio.

3 DICAS DE MARKETING PARA INSTAGRAM

1. PROMOÇÃO
Que tal uma promoção exclusiva para os seguidores do Instagram? Além de agradar o seu público, você irá movimentar as métricas e as interações da conta. Esse foi o exemplo da Amaro no Dia das Mães: bastava responder a uma pergunta nos stories ou no feed, marcando o perfil, para concorrer a R$ 1 mil em créditos da loja! Quem não gostaria, não é mesmo?

2. QR CRUSH
Para o Carnaval de 2020, a Reserva inovou na criação de uma camiseta que estampava o QR Code – código bidimensional que pode ser lido pela câmera dos smartphones – do perfil do Instagram do consumidor. O objetivo? Facilitar a paquera!

3. POSICIONAMENTO
Ter missão e valores definidos durante o planejamento da sua linha editorial é essencial para o posicionamento de marca quanto às causas sociais. Afinal, nem tudo é sobre produtos! Um exemplo é a publicação da Amaro contra o Projeto de Lei 504. "A equipe da AMARO tem 26% de colaboradores LGBTQIA+ e a gente acredita que a nossa comunicação deve retratar a sociedade como um todo. Isso inclui toda orientação sexual e identidade de gênero. Pessoas LGBTQIA+ existem", defendeu a marca no Instagram.

Pet shops e clínicas veterinárias

FOTO: REPRODUÇÃO INSTAGRAM

PETLOVE BRASIL

Perfil no Instagram: @petlovebrasil
Número de seguidores: 781 mil
História: Fundada em 1988, a Petlove surgiu quando o médico veterinário Marcio Waldman abriu sua clínica veterinária e loja de produtos pet na cidade de São Paulo. Onze anos depois, Marcio investiu na expansão da marca para a primeira versão do e-commerce que, um dia, se tornaria o maior ecossistema digital para pets do Brasil.
Sucesso: Hoje, já são mais de 15 mil produtos no site e aplicativo, serviços como hospedagem e atendimento veterinário em domicílio, além da assinatura, que permite o agendamento das compras dos clientes com desconto.

FOTO: REPRODUÇÃO INSTAGRAM

VITO E CARMELA

Perfil no Instagram: @vitoecarmela
Número de seguidores: 77,8 mil
História: Inaugurado em 2017, o pet shop começou como uma franquia americana. Porém, em poucos meses, os fundadores "viraram bandeira", como contam no site do estabelecimento, por questões de princípios quanto à venda de filhotes de cães e gatos. Foi assim que nasceu, oficialmente, o pet shop e ponto fixo de adoção Vito e Carmela.
Sucesso: O perfil no Instagram foi criado para que todos os seguidores pudessem acompanhar as histórias dos pets que chegam para adoção e encontram um final feliz. A estratégia deu tão certo que, apesar das dificuldades que envolvem uma adoção, o pet shop consegue realizar alguns dos processos pouco tempo após a postagem de fotos na rede social.

3 DICAS DE MARKETING PARA INSTAGRAM

1. CUPOM DE DESCONTO
Uma das estratégias preferidas pelos usuários é a liberação de promoções. Crie cupons especiais para os seus seguidores do Instagram, já que, quanto mais exclusiva for a ação, mais próximos eles se sentem de você.

2. FOTOS CRIATIVAS
Se o seu negócio também abriga animais abandonados, é essencial que você saiba envolver os usuários com a história de cada um, aumentando as chances de ela ser mais compartilhada e chegar às famílias certas para a adoção. Quanto às imagens, solte a criatividade! Que tal usar o exemplo do Vito e Carmela e vestir os bichinhos com acessórios superfofos?

3. POSTS INFORMATIVOS
O perfil da Petlove é cheio de exemplos no quesito informação. Algumas das publicações respondem dúvidas como "Pets podem tomar leite?", "5 formas de fazer o seu cachorro comer mais devagar" e "Como manter a ração do seu pet mais fresca". Inspire-se!

Prestadores de serviços

FOTO: REPRODUÇÃO INSTAGRAM

LAYLA PANDOLPHO

Perfil no Instagram: @laylapandolpho
Número de seguidores: 42,7 mil
História: Layla é formada em Psicologia e atuou na área de Recursos Humanos por mais de dez anos. Porém, desde 2018, ela trabalha com o segmento de personal organizer.
Sucesso: A ideia do perfil surgiu apenas por hobby, depois que Layla ficou meses desempregada. Porém, as dicas sobre organização da casa deram tão certo que, desde então, ela vem aumentando a sua lista de clientes por meio da produção de conteúdo e divulgação no Instagram.

Conheça a tragetória de **Layla Pandolpho.**

FOTO: REPRODUÇÃO INSTAGRAM

SOLL DANIEL

Perfil no Instagram: @solldaniel
Número de seguidores: 97,1 mil
História: Soll trabalha há mais de quatro anos ajudando mulheres do Brasil e de várias partes do mundo como assessora de imagem e estilo, com foco em atendimentos 100% on-line.
Sucesso: A assessora é um exemplo de que, quando o conteúdo do Instagram é eficaz, a própria audiência pede por um curso. Foi assim que surgiu Ferramentas de Estilo com Soll Daniel, em 2020. A procura era tamanha que as vagas se esgotaram em 36 horas!

3 DICAS DE MARKETING PARA INSTAGRAM

1. ATENÇÃO AO USER DA CONTA

Um fato curioso é que a conta de Layla no Instagram tinha o nome de "Casa Em Virgem", trazendo uma brincadeira com o signo mais famoso por gostar de limpeza e organização. Porém, apesar da criatividade, ela relata que o nome causava bastante confusão em quem não entendia a referência. Pensando nisso, a personal organizer decidiu modificar o "@" para o seu nome próprio, iniciando um ciclo ainda mais profissional no perfil.

2. IGTV PARA SERVIÇOS

Que tal gravar os processos do seu serviço para adicionar ainda mais valor ao seu trabalho? A Soll, por exemplo, tem uma série no IGTV chamada Soll Daniel no seu guarda-roupa, em que ela compartilha as chamadas de vídeo com as clientes, mostrando algumas montagens de look e os depoimentos emocionados de cada uma após a consultoria.

3. TRATAMENTO PERSONALIZADO

"As pessoas querem ser tratadas como pessoas e não gostam de receber respostas automáticas, aquelas padrão. Elas querem ter um atendimento personalizado. Então, é algo que procuro fazer com as minhas seguidoras, quando elas pedem por orçamentos, por exemplo. Tente também mandar áudios, responder os directs e comentários... Crie um vínculo real com os usuários", aconselhou Layla Pandolpho.

Histórias de sucesso

Descubra casos bem-sucedidos de pequenas, médias e grandes empresas que aplicaram ensinamentos semelhantes aos analisados neste guia. Inspire-se para o seu negócio ser o próximo!

POR CAROLINA SALOMÃO • IMAGENS: SHUTTERSTOCK

Atualmente, construir uma "tribo" de seguidores bem engajados com o perfil é um dos objetivos principais de um negócio que busca crescer no mercado digital. No entanto, como conquistar um lugar em uma mídia tão competitiva? "Para captar a atenção da audiência desejada, as marcas precisam manter o equilíbrio entre aplicar novas estratégias que irão ajudar no aumento de seus seguidores e otimizar o engajamento da sua atual base de seguidores", revelou estudo divulgado em 2021 pela *HubSpot Mention*.

Quem consegue desenvolver essa difícil tarefa de conquistar a confiança do público-alvo enquanto atrai novos admiradores, pode pensar no segundo – e esperado – passo: as vendas! Todo esse processo envolve estratégias, como marketing de conteúdo, reconhecimento de marca, frequência de posts e domínio das ferramentas da plataforma. Além disso, cada etapa pode ocorrer organicamente, ou seja, sem tráfego pago, mas o empreendedor que desejar cortar (bastante) caminho e acelerar o crescimento da conta tem a possibilidade de investir em diversos formatos de anúncio: feed, story, compras no Instagram, imagens e vídeos. Quer analisar cada um deles na prática? Então, confira as marcas que apostaram na rede social e se tornaram cases de sucesso!

Barela (@barelaseguros)

Já pensou em investir em Anúncios de Cadastro? Não sabe o que são? Sem problemas: trouxemos um case de sucesso que já tinha produzido bons frutos no Facebook, mas repetiu a estratégia no Instagram – com alguns ajustes para a plataforma – e deu certo novamente. Vitória em dobro! Estamos falando da *Barela Seguros e Planos de Saúde*, empresa especialista em consultoria e corretagem de seguros individuais, familiares, por adesão e para micro, pequenas e médias empresas. Ela foi fundada nos anos 1990 e faz parte do grupo *It'sSeg Company*, responsável pelo planejamento da campanha nos stories, que contou com o formato vertical de tela cheia – o mais indicado para a ferramenta. O objetivo? A captura de novos clientes em potencial (leads) por meio da lista de cadastros completos, além da obtenção do menor custo por lead do ano.

barelaseguros
Barela Seguros e Planos de Saúde
INVISTA EM SEU MAIOR PATRIMÔNIO: A SUA FAMÍLIA

FOTO: REPRODUÇÃO INSTAGRAM

ESTRATÉGIA E RESULTADOS

Programada para acontecer nos meses de agosto e setembro de 2018, a ação foi direcionada ao público de 25 a 49 anos, residentes no Estado de São Paulo e interessadas em convênios médicos. A marca ainda segmentou o alvo em pessoas e empresas que estavam insatisfeitas com o valor do próprio plano de saúde e desejavam contratar outro. Para isso, a Barela utilizou o recurso de Públicos Personalizados e apostou em novos criativos para se comunicar melhor com o público dos stories, mantendo a proposta de geração de novos registros – já validada no feed de notícias e no *Instant Articles do Facebook*. Esses criativos ganharam mais cores e humor, nos quais o personagem da marca aparece desesperado ou doente de preocupação com o preço do seu plano de saúde. O resultado teve saldo positivo: 1,6 x mais leads gerados em comparação ao período de fevereiro a julho de 2018, e 56% menor custo por lead!

O ATENDIMENTO DO SEU PLANO TE DÁ CALAFRIOS?

A MENSALIDADE DO SEU PLANO QUASE TE MATOU DO CORAÇÃO?

FOTOS: REPRODUÇÃO INSTAGRAM

Com mais cores e humor, o personagem da Barela aparece desesperado com o preço do seu plano de saúde e chama a atenção dos usuários que vivem a mesma situação. Bastava "arrastar para cima" para ser redirecionado para a página de proposta da marca

World Study (@worldstudybrasil)

Fundada em 1998 por um grupo de ex-intercambistas com mais de dez anos de experiência no segmento de intercâmbio cultural, a *World Study Educação Intercultural* possui, hoje, 100 mil alunos em 47 unidades espalhadas por todas as regiões do Brasil. Parte dos avanços nos últimos anos veio dos investimentos da marca nas redes sociais, já que a maioria do seu público-alvo é composta por jovens e adolescentes. Apesar disso, a empresa não conseguia atingir a sua audiência pela internet – em especial, Facebook e Instagram – e buscou ajuda profissional da *Layer Up*, que divulgou os dados da campanha realizada em 2019, trazendo mais um exemplo do poder do marketing digital. Afinal, a consultora identificou que as publicações produzidas pela *World Study* nas redes não atingiam as dores da persona. Por isso, o objetivo principal da parceria era aumentar as vendas dos serviços da empresa – que vão desde cursos de idiomas até viagens em grupo para diversas localizações –, aplicando marketing de conteúdo eficiente.

FOTO: REPRODUÇÃO INSTAGRAM

ESTRATÉGIA

Após pesquisa aprofundada com a persona, a comunicação da empresa foi ajustada com pautas que atingissem as dores do público mapeado. Essas publicações nutriam o relacionamento com a audiência até elas estarem prontas para receber a oferta e fechar negócio, com apoio do *inbound marketing* e impulsionamentos de landing pages que traziam mais material exclusivo para download. Outro aspecto considerado foi o engajamento nas redes sociais, estimulando a interação entre as pessoas nos perfis da marca.

BALANÇO FINAL

Os resultados falam por si só, já que os conteúdos criados e os impulsionamentos nas redes sociais influenciaram 8% do retorno orgânico dos usuários ao site da empresa. Além disso, até junho de 2019 foram captados 6.368 leads por meio de buscas também orgânicas.

Uma curiosidade compartilhada na análise aponta a preferência do público da *World Study* por guias e infográficos – sendo esses os maiores responsáveis pela captação de leads, em comparação a outros materiais. Ao contrastar os meses de junho de 2018 e junho de 2019, a empresa de intercâmbio apresentou mais de 1,2 milhão de visualizações no site da marca e mais de 1,1 milhão de interações no Instagram. Durante esse período, ainda houve um aumento de 18% no tráfego orgânico.

FOTO: REPRODUÇÃO INSTAGRAM

Aff The Hype (@affthehype)

"Dai-me paciência", "Vai pra cima, mulher! Porque pra baixo você já está" e "Planos, caso o mundo não acabe" são algumas das frases estampadas nos produtos da *Aff The Hype*, empresa de papelaria que conta com a ironia e o bom humor para vender na internet, ou seja, ingredientes perfeitos para se comunicar bem no Instagram!

A iniciativa surgiu devido à paixão por cadernetas artesanais e por causa da escassez no mercado de um estilo que combinasse com o do publicitário Mathoso Santana e de seu namorado, o designer Guilherme Bucci. Atualmente, o perfil da empresa no Instagram conta com mais de 200 mil seguidores! O segredo? Investimento na plataforma, não só de dinheiro – mesmo porque o empreendimento começou com apenas R$ 200 –, mas de conteúdo estratégico e atenção ao usuário, além da pesquisa sobre o que a persona realmente desejava da marca.

Um exemplo foi a percepção de que as agendas com frases mal-humoradas vendiam mais do que as outras. Logo, o casal apostou completamente nessa característica, adotando a seguinte descrição como biografia no perfil do Instagram: "Uma marca independente que cria produtos ranzinzas para pessoas bem-humoradas (e vice-versa)". Foi depois da criação da conta na rede que a dupla deu um salto de dois ou três pedidos por dia para até 200 solicitações diárias. Mathoso também revelou que apesar do foco nas vendas do e-commerce, o Instagram era a maior fonte de tráfego da empresa – e com crescimento quase todo orgânico! Ainda há dúvidas da transformação que a plataforma pode causar em seu negócio?

FOTO: REPRODUÇÃO INSTAGRAM

FOTO: REPRODUÇÃO INSTAGRAM

PERFIL DO INSTAGRAM: @MOCA_DO_MARKETING

Se a Magazine Luiza tem a Lu, a *Aff The Hype* conta com o carisma da "moça do marketing", fantoche criado para ser o rosto da marca! Assim como a sua colega do varejo, ela responde as dúvidas dos usuários em vídeos superdivertidos no Instagram e com o mesmo estilo mal-humorado das frases impressas nos produtos. O sucesso é tanto que a bonequinha ganhou perfil próprio e também tem sua imagem estampada em diversos artigos da empresa!

Descomplica (@descomplica)

Você já pensou em uma nova estratégia de marketing hoje? Que tal sair um pouquinho da mídia estática e investir em vídeos verticais para os stories? Foi assim que a Descomplica, plataforma brasileira de educação, conseguiu trabalhar a construção de marca e aumentar as vendas, alcançando 12 pontos de crescimento em lembrança de anúncio e 7 pontos de aumento em *top of mind* de grupo educacional mais associado ao ENEM, de acordo com dados do próprio Facebook. Ou seja, mais um case de sucesso das redes irmãs! Fundada em 2011, a *Descomplica* tem como missão desenvolver a capacitação dos brasileiros por meio de aulas on-line, seja para aprovação no Exame Nacional do Ensino Médio (ENEM), para a conquista do certificado da Ordem dos Advogados do Brasil (OAB), ou para concluir uma pós-graduação.

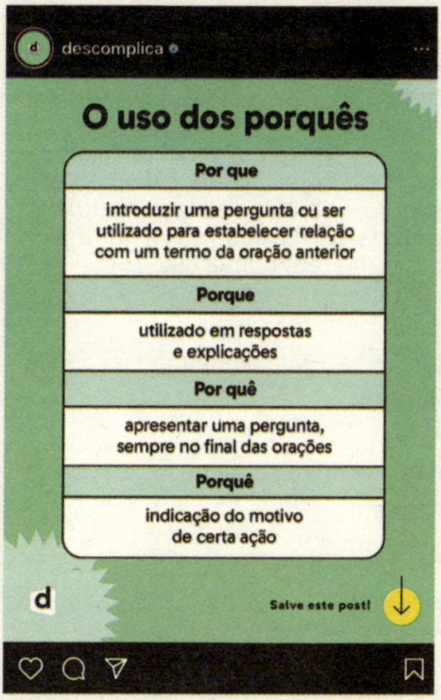

FOTO: REPRODUÇÃO INSTAGRAM

O PROBLEMA

Assim como diversas empresas que se acostumam com um formato de publicidade, a diretora de marketing da empresa, Cristina Cadore, explicou como a equipe usava outros recursos para transformar os criativos horizontais com narrativa de filme publicitário em verticais. Foi então que eles começaram a produzir conteúdo pensando no formato dos stories, e o resultado se mostrou muito melhor do que antes.

ADEQUAÇÃO AO FORMATO

Afinal, o time do próprio Facebook realizou uma dinâmica de um dia com a marca, em que os colaboradores desenvolveram três posts para serem anunciados nos stories, tendo em mente alguns fatores ensinados no evento: mostrar a marca e envolver o público nos primeiros instantes, produzir um material que funcionasse sem som e tivesse duração de 15 segundos. O tema? A Copa do Mundo de 2018! Além disso, era necessário definir o público-alvo da campanha. Para isso, a empresa contou com o time da rede social, que direcionou a ação aos residentes no Brasil entre 17 e 25 anos. Posteriormente, a Descomplica criou outras publicações para anúncios de carrossel e vídeos curtos para o feed, mantendo o foco na conversão e no reconhecimento de marca entre o público-alvo.

FOTO: REPRODUÇÃO INSTAGRAM

Nestlé Brasil (@nestle_br)

Se até gigantes como a Nestlé Brasil investem em anúncios no Instagram, por que você descartaria essa possibilidade para o seu negócio? Já são mais de 150 anos de história, 194 países, 328 mil colaboradores e 200 marcas globais!
Além disso, segundo pesquisa realizada pela *Kantar Worldpanel*, a marca abrange 20 categorias do mercado e está presente em 99% dos lares brasileiros. Mesmo com esses dados, a empresa quer mais: se tornar relevante para a geração Z, bastante presente nas redes sociais. Para isso, o time do Facebook, em conjunto com a agência *David The Agency*, testou diferentes tipos de conteúdo e formatos, otimizando o investimento e aumentando o reconhecimento de marca entre a audiência jovem ao promover a campanha "Pare o mundo que eu quero Nestlé", com foco em suas barras de chocolate. No final, a ação ganhou o formato de vídeo tanto para o feed quanto para o story, obtendo um ROI (retorno sobre o investimento) mais alto que o da TV e de outros meios de vídeo on-line. Veja abaixo o resultado em números.

FOTO: REPRODUÇÃO INSTAGRAM

- 2,3x maior do que a média da campanha foi o ROI gerado por Instagram;
- 2,5x maior do que o de mídia off-line foi o ROI gerado por Instagram

FOTOS: REPRODUÇÃO INSTAGRAM

Do feed ao story, a Nestlé apostou no Instagram para a campanha das suas barras de chocolate e o resultado bateu até a performance da TV e de outras mídias de vídeo on-line.

I Need Brechó (@ineedbrecho)

Tudo começou com um sonho de viajar a Paris, na França. Mas Stheffany Wendy tinha um salário de R$ 1.100 e, desse valor, ela precisava subtrair R$ 900 para pagar a faculdade de Moda. Como visitar a cidade-luz com só R$ 200 na conta? Era preciso criar outra fonte de renda - urgentemente! Porém, o incentivo veio mesmo quando a cunhada de Stheffany, que tinha a mesma meta, estipulou um prazo de dez meses para levantar o valor da viagem. "Garimpar sempre foi um hábito para a minha família, então eu sempre me vesti com peças de brechó. Todo mundo sempre me perguntava de onde eram as minhas roupas e me pediam até que comprasse para elas", declarou a empreendedora em um dos destaques da sua conta do Instagram. Alerta para a habilidade monetizável! "Foi quando, depois de uma aula sobre sustentabilidade, pensei que eu poderia sim dar um ciclo de vida novo para peças que já existiam e poderia abrir um brechó on-line com as minhas roupas", decidiu Stheffany.

FOTO: REPRODUÇÃO INSTAGRAM

VENDENDO PELO INSTAGRAM

Pode-se dizer que o *I Need Brechó* é uma loja nascida e criada dentro da rede social. Afinal, a idealizadora do projeto começou vendendo pela plataforma, colocando todas as fotos com preços e tamanhos. Apesar das inúmeras DMs (mensagens diretas) que recebeu, Stheffany percebeu que havia a necessidade de um espaço para que as clientes provassem as peças. Eis o primeiro desafio! Como ela trabalhava ao lado de uma estação de metrô da cidade de São Paulo, e o seu namorado tinha um estúdio de tatuagem próximo à região, a empreendedora combinou de levar uma arara de roupas emprestada para a recepção do lugar. Assim, ela aplicou uma das suas primeiras estratégias de marketing na rede social: tirar fotos de quem já saía da loja vestindo #LookINeed – hashtag usada até hoje. Foram meses de idas e vindas entre o trabalho fixo de Stheffany e o estúdio do namorado. No entanto, o esforço rendeu bons frutos, já que o movimento do local cresceu tanto que a empreendedora precisou colocar mais três araras, uma sapateira e um provador! Nascia, assim, um dos brechós mais amados do "Insta".

HISTÓRIA DE SUCESSO

A ideia de promover o consumo sustentável e consciente das peças deu tão certo no Instagram que, após cinco anos de história, a marca conta com e-commerce, espaço físico e várias parcerias com famosos, como as influenciadoras Nah Cardoso, Julia Rodrigues e Gabriela Fadel. Mas será que Stheffany foi para Paris naquele ano? "Finalmente, depois de longos dez meses juntando dinheiro, eu consegui realizar o meu sonho. Foi a sensação mais incrível que eu já senti, eu estava ali, eu tinha conseguido", concluiu Stheffany. Inspirador!

Seven Burgers (@seven_burgers)

Localizada em Valinhos, São Paulo, a hamburgueria delivery tornou um dos cases de sucesso da Agência Trópica. Apesar de a empresa apresentar uma boa taxa de re-compra, ou seja, pessoas que voltavam a comprar da *Seven Burgers*, ela encontrava dificuldade em se posicionar nas redes sociais e aumentar o alcance de clientes novos. Com a parceria, o estabelecimento resolveu o problema ao aplicar marketing de conteúdo estratégico para fortalecer a presença no digital, além do uso de anúncios no Facebook e Instagram. Alinhados às plataformas, houve também a criação de links patrocinados e a construção de um novo site, que se beneficiou do movimento que acontecia nas redes sociais, atingindo um número maior de visitas únicas. Veja os números:

FOTO: REPRODUÇÃO INSTAGRAM

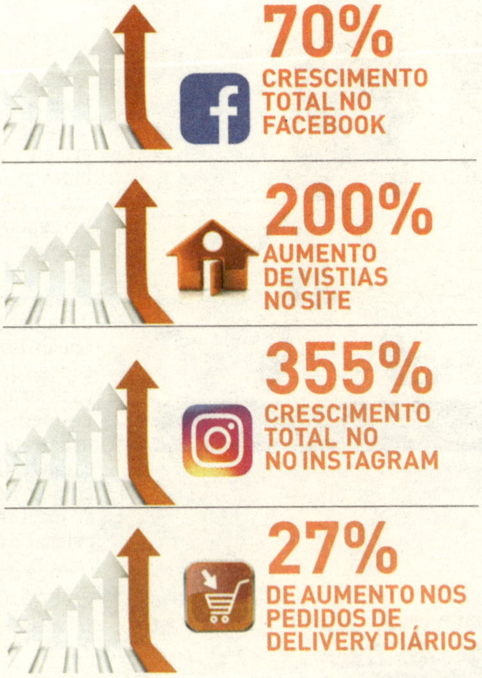

FOTOS: REPRODUÇÃO INSTAGRAM

Imagem profissional e criatividade com informações sobre os ingredientes. Como resistir a esse hambúrguer passando pelo seu feed em uma noite de sábado?

Dear, Klairs (@klairs.global)

Na indústria de beleza e cosméticos também existem cases de sucesso, e a *Dear, Klairs* se tornou um deles quando decidiu testar o impacto dos anúncios do recurso Compras no Instagram e de conteúdo de marca. Conhecida pelos produtos veganos para peles sensíveis – e que não são testados em animais ou contêm ingredientes além do necessário –, a empresa coreana de produtos de beleza tinha o objetivo de se destacar em um mercado tão presente no digital, além de impulsionar suas vendas. Para isso, a marca investiu pesado em anúncios de vídeos para dispositivos móveis, anúncios de conteúdo de marca e anúncios no Compras no Instagram.

FOTO: REPRODUÇÃO INSTAGRAM

VENDENDO PELO INSTAGRAM

Em relação aos anúncios de conteúdo de marca, a empresa fez parceria com um influenciador do nicho para aumentar o alcance das publicações. Bastava clicar nos posts que continham a mensagem "parceria paga com a *Dear, Klairs*" para os usuários serem levados ao site da marca. Primeiramente, o conteúdo foi veiculado como um post no Compras no Instagram, sendo possível para a empresa marcar os produtos diretamente na publicação. Depois, a marca patrocinou o material e escolheu o objetivo de conversão para todos os anúncios, visando uma maior captação de leads. A campanha rodou por dez dias na rede social e foi direcionada de maneira ampla para pessoas na Coreia do Sul, mas a empresa preferiu excluir o público que já tinha visitado o site nos últimos 14 dias. Veja os resultados da combinação de anúncios – tanto os de conteúdo de marca quanto os de *Compras no Instagram*:

- 1,8x de aumento no retorno do investimento em publicidade
- 45% de redução no custo por compra
- 42% de redução no custo por adição ao carrinho
- 41% de aumento no número de pessoas alcançadas

FOTO: REPRODUÇÃO INSTAGRAM

Com conta verificada e mais de 200 mil seguidores na rede social, a *Dear, Klairs* decidiu colocar anúncios no Compras no Instagram e investir em conteúdo de marca

A estante do milionário digital

A linguagem voltada para o aprendizado do marketing digital é simples e didática, porém há outros aspectos da área que devem ser considerados por quem está empreendendo há pouco tempo. Por meio de temas que vão além das técnicas de venda, é necessário compreender como a mente humana funciona, sem deixar de lado o que acontece nos bastidores. Se você é amante da leitura, aposte nessa lista dos títulos mais recomendados do nicho para se aprofundar no assunto

POR CAROLINA SALOMÃO • IMAGENS: SHUTTERSTOCK

FOTO: DIVULGAÇÃO

ACREDITE, ESTOU MENTINDO
(RYAN HOLIDAY)
Como não ser mais influenciado por ideias duvidosas e entender as regras do jogo? A impressão inicial é de espanto e desafio, mas é um dos títulos mais indicados por gigantes do Instagram.

FOTO: DIVULGAÇÃO

A FÓRMULA DO LANÇAMENTO
(JEFF WALKER)
O método *Product Launch Formula* criado pelo autor é justamente para fazer um lançamento de sucesso em todas as áreas.

FOTO: DIVULGAÇÃO

A JORNADA DO ESCRITOR: ESTRUTURA MÍTICA PARA ESCRITORES
(CHRISTOPHER VOGLER)
É uma narrativa que segue certas diretrizes para serem aplicadas na arte do storytelling.

FOTO: DIVULGAÇÃO

AS ARMAS DA PERSUASÃO
(ROBERT B. CIALDINI)
O autor deste livro é psicólogo e se dedicou a estudar como a persuasão funciona de maneira científica, além de como o ato de persuadir está conectado à psique humana.

FOTO: DIVULGAÇÃO

CONFISSÕES DE UM PUBLICITÁRIO
(DAVID OGILVY)
O autor, já falecido, teve 40 anos de experiência dirigindo uma agência e resgata os valores mais importantes para serem estudados e levados para uma carreira bem-sucedida.

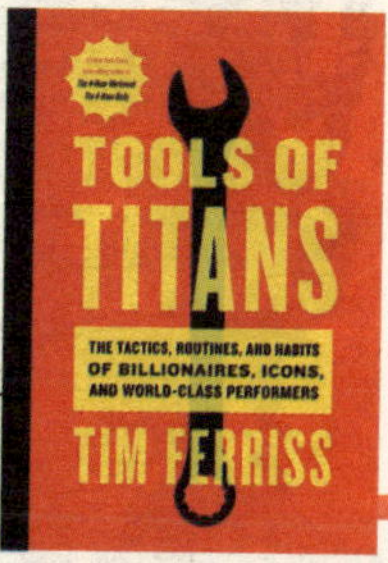

FOTO: DIVULGAÇÃO

FERRAMENTAS DOS TITÃS
(TIM FERRISS)
O autor compilou as melhores estratégias e dicas práticas que convidados de seu *podcast* compartilharam em primeira mão. Arnold Schwarzenegger é um dos titãs.

FOTO: DIVULGAÇÃO

ISSO É MARKETING
(SETH GODIN)
Com mais de 20 anos de carreira, Seth Godin compartilha o que aprendeu de mais valioso sobre marketing: não é só sobre vender, mas criar uma conexão com o público para que este possa, de fato, alcançar seus objetivos.

FOTO: DIVULGAÇÃO

NOCAUTE
(GARY VAYNERCHUK)
Direcionado para redes sociais, o autor detalha quais estratégias funcionam (e quais podem ser catastróficas) para cada mídia.

FOTO: DIVULGAÇÃO

TRABALHE 4 HORAS POR SEMANA
(TIMOTHY FERRISS)
O título é, no mínimo, bastante tentador. O autor compartilha atalhos para se tornar mais produtivo no dia a dia, seja em reuniões com clientes ou tarefas mais corriqueiras da vida corporativa.

FOTO: DIVULGAÇÃO

TRIBOS (SETH GODIN)
Mais um de Seth Godin, este livro tem a proposta de não somente identificar seu público, mas de uni-lo como um só por meio da liderança.

Cursos recomendados

Depois desse intensivo sobre marketing digital, selecionamos alguns cursos que podem continuar te auxiliando nessa jornada. Confira!

POR CAROLINA SALOMÃO • IMAGENS: SHUTTERSTOCK

FOTO: REPRODU;ÃO SITE

■ O NOVO MERCADO (ONM)

Criado por Icaro de Carvalho, é um dos cursos mais completos de marketing digital. A famosa aula 130 é bastante didática ao explicar o bê-á-bá de como iniciar no marketing digital e como utilizar o Instagram da forma mais eficiente possível.

Site: **https://onovomercado.com.br**

FOTO: REPRODU;ÃO SITE

■ COMUNIDADE DO EDU

Com parcela única para ter acesso a todo o conteúdo produzido por Eduardo Costa - se você assistiu a alguma aula do ONM, você já sabe de quem estamos falando - a proposta deste curso é para iniciantes: como conquistar os primeiros R$ 3 mil por meio do digital.

Site: **https://comunidadedoedu.com.br/emd**

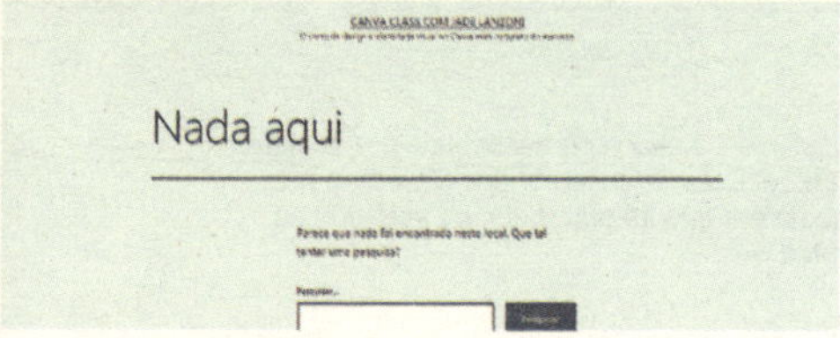

FOTO: REPRODU;ÃO SITE

■ CURSO JADE LANZONI (DESIGN E CANVA)

Curso mais voltado para profissionais da área de design para aprender como usar o Canva, mesmo no modo gratuito, nas suas redes sociais.

Site: **https://www.jadelanzoni.com/canva-clasa**

■ COMUNIDADE ZILLO

O curso está com vagas encerradas no momento, porém a página disponibiliza o cadastro para a lista de espera e, assim, receber notificação de quando voltar ao ar. Priscila Zillo também conta com aulas em seu canal do YouTube de forma totalmente gratuita!

Site: **https://bastidoresdodigital.com.br/lista-de-espera**

FOTO: REPRODU;ÃO SITE

■ CURSO DA VALESKA BRUZZI 100 PASSOS 3.0

O curso de Valeska é completamente voltado ao Instagram, no qual ela compartilha os bastidores da própria conta, incluindo métricas e resultados, para que os alunos entendam quais são os primeiros passos para se tornar autoridade na área.

Site: **https://valeskabruzzi.com/espera/**

FOTO: REPRODU;ÃO SITE

■ INSTA PARA NEGÓCIOS

Idealizado por Renata Massa, é mais voltado a empreendedores e profissionais liberais. O curso explica de forma simples e didática como criar seu perfil no Instagram e utilizar o IGTV.

Site: **https://www.renatamassamkt.com/Instagram**

FOTO: REPRODU;ÃO SITE

■ CURSO DA RAFAELLA TONZELLI

O valor acessível e o formato deste curso é um diferencial: um podcurso para explicar exatamente em quais pontos focar para obter resultados melhores e aumentar o engajamento de sua audiência.

Site: **https://geracaoinfluenciadora.com.br/podcurso/**

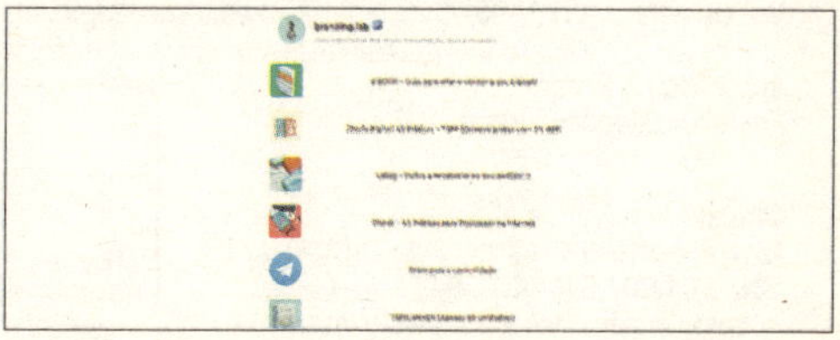

FOTO: REPRODU;ÃO SITE

■ PRODUTOS DA BRANDING.LAB

Idealizado por Ellen Medeiros, que trabalha na área de marketing e branding há quase 10 anos, o conteúdo da Branding Lab é disponibilizado em diversos formatos: há combos de e-books, curso, masterclass, imersão, entre outros infoprodutos.

Site: **https://biolinky.co/brandinglab**

Agência Trópica
https://tinyurl.com/p279z8sc
Amaro
https://tinyurl.com/d3hfuhfd
AndrePilli
https://tinyurl.com/4u4ws2ut
Blog Hotmart
https://tinyurl.com/4vyatznn
https://tinyurl.com/ptvrx89m
https://tinyurl.com/37t4ss9a
Blog Instagram
https://tinyurl.com/2cbpyuzp
Branding.lab
https://tinyurl.com/2yewpj2u
Canal no YouTube SXSW
https://tinyurl.com/hm7yxea8
Canal no YouTubeTecMundo
https://tinyurl.com/yc8t7n43
CNN Brasil
https://tinyurl.com/faf89k4t
Cortes Milionários
https://tinyurl.com/3jr95fv2
Digital 2021 Global Overview Report (April Update) da We Are Social em parceria com a Hootsuite
https://tinyurl.com/ywbhwa42
Erico Rocha
https://tinyurl.com/nbmekppa
Estadão
https://tinyurl.com/6xcta956
Facebook
https://tinyurl.com/3x7npvwn
https://tinyurl.com/cfcwfkke
https://tinyurl.com/58uc49rr
https://tinyurl.com/2rdzbpdc
https://tinyurl.com/ydauau44
https://tinyurl.com/kyjhjf96
https://tinyurl.com/4jy2wy3b
https://tinyurl.com/3mrfsdux
https://tinyurl.com/y57rkcfs
Fonte Criativa
https://tinyurl.com/3z9kv4j2
Forbes
https://tinyurl.com/hf93exm2
Fórmula de Lançamento
https://tinyurl.com/s6t87pdy
G1 Globo
https://tinyurl.com/3cp94dvr
Governo do Brasil
https://tinyurl.com/unpwdtuh
HP
https://tinyurl.com/zzw3vuu6
HubSpotInstagram Engagement Report 2021:
https://tinyurl.com/erpzhtdf
IBND
https://tinyurl.com/4r24tbtj
I Need Brechó Instagram
https://tinyurl.com/ysjkcsrx
Info Money
https://tinyurl.com/ssmtdh7r
https://tinyurl.com/22u8pfkp
https://tinyurl.com/53pw2wb3
Instagram
https://tinyurl.com/h8kms3c2
https://tinyurl.com/tnvhcuhm
https://tinyurl.com/ubt86m7c
https://tinyurl.com/4kyd22ww
Istoé
https://tinyurl.com/nz527b9s
JEAO Gambiacine
https://tinyurl.com/59xzfnb7
Jeff Walker
https://tinyurl.com/33347vpb
Layer Up
https://tinyurl.com/4z2a9ma3
https://tinyurl.com/n94tsveu
LinkedIn
https://tinyurl.com/dykm9awd
Lojas Americanas
https://tinyurl.com/ywezw3sh
Lopes
https://tinyurl.com/zatfu3xy
Magazine Luiza
https://tinyurl.com/pkspe83a
Neil Patel
https://tinyurl.com/kw83xrfb
Oberlo
https://tinyurl.com/2r5ec3z2
O Novo Mercado
https://tinyurl.com/efvyjmbu
Pedro Sobral
https://tinyurl.com/2nwnu3xw
Petlove
https://tinyurl.com/a2pejf4c
Pink Fire
https://tinyurl.com/3fwuth3n
Priscila Zillo
https://tinyurl.com/4fcknyfp
Reserva
https://tinyurl.com/3ajj4f58
Revista Empreende
https://tinyurl.com/tdte5xfn
Rock Content
https://tinyurl.com/ahus27zs
https://tinyurl.com/pubcddxx
Terra
https://tinyurl.com/pedszknw
The Wall Street Journal
https://tinyurl.com/jrc636m6
Uol
https://tinyurl.com/8fr8yzkw
World Study
https://tinyurl.com/4xrhwkk2

2ª Impressão 2022

Presidente: Paulo Roberto Houch
MTB 0083982/SP

Editora: Priscilla Sipans
(redação@editoraonline.com.br)
Coordenador de Arte: Rubens Martim
Desenvolvido por Pop Up Comunicação (www.popupcomunicacao.com.br) – Cynthia Marafanti (edição), Ana Paula de Araújo (redação) e Rafael Dias (projeto gráfico e diagramação)
Vendas: Tel.: (11) 3393-7723 (vendas@editoraonline.com.br)

Impresso no Brasil.
Foi feito o depósito legal.

Direitos reservados à
IBC – Instituto Brasileiro de Cultura LTDA
CNPJ 04.207.648/0001-94
Avenida Juruá, 762 – Alphaville Industrial
CEP. 06455-010 – Barueri/SP
www.editoraonline.com.br

Dados Internacionais de Catalogação na Publicação (CIP)
(eDOC BRASIL, Belo Horizonte/MG)

M298m Marafanti, Cynthia
Marketing digital: o segredo: Instagram / Cynthia Marafanti. – Barueri, SP: Camelot, 2021.
15,5 x 23 cm

ISBN 978-65-87817-50-7

1. Marketing digital. 2. Software de aplicação. 3. Tecnologia da informação. 4. Instagram (Software). I. Título.
CDD 302.23

Elaborado por Maurício Amormino Júnior – CRB6/2422